JN117295

晩年のスタイル

老いを書く、老いて書く

磯崎康太郎 Kotaro Isozaki　香田芳樹 Yoshiki Koda 編著

松籟社

晩年のスタイル——老いを書く、老いて書く

目次

凡例

・［　］は参照原著、頁を示し、文献は各章末に記載した。
・〔　〕は原語に対する訳語、訳語に対する原語、引用者による補足を示す。
・〔……〕は引用者による中略、前文略、以下略を示す。
・各章末の文献表記については各執筆者の裁量に委ねた。
・引用文はすべて執筆者による原典からの翻訳であるが、刊行された邦訳がある場合は参考までに併記した。いかなる場合でも、引用訳文の責はすべて執筆者が負っている。

序章　老いて花さく

香田芳樹

なぜなら老いをとおしてこそそれ以前の人生全体の意味あるいは無意味が開示されるからである。

シモーヌ・ド・ボーヴォワール

森鷗外がドイツ留学時代の恋人の手紙と写真を、亡くなる直前に妻に庭で焼かせた逸話はよく知られている。軍医としてのキャリアには執着がなかった彼であるが、医学生であった若き日の自分との訣別には、ほとんど全生涯を要した。彼が墓碑に森林太郎としか書かせなかったこともよく知られている。鷗外として名を残しても、個人としては何の生きた痕跡も残さないことを潔しとしたことには、たとえばトーマス・マンのように、同性愛者であったことが知られることを承知の上で、死後二〇年経ったあとの日記の公開を遺言した西洋人とは大きく違った東洋的な人生観があるように思われる。

恋人の手紙を焼いたその庭には大きな沙羅（さら）の木があって、夏になると気品の高い白い花を咲かせていた。鷗外はこの花が散るのを気にして、落ちるとすぐに藍色の縮（ちぢみ）の単衣（ひとえ）の裾をまくって拾いにいった。その心境は彼の詩に詠われている。

褐色の根府川石（ねぶかわいし）に
白き花はたと落ちたり
ありとしも青葉がくれに
見えざりしさらの木の花

青々と茂った葉陰からこぼれるように白い花がはたと落ちる。根府川石は墓石としても珍重されるものだが、そこに散る花に、病床の作家が自分の姿を映し見たこともまた東洋的な晩年観といえる［小堀、一二六頁］。

軍籍を離れ、図書館長となった鷗外はすでに病状著しく、もはや目立った作品を発表するにはいたらなかった。しかし老いてますます創作意欲を燃やす芸術家もいる。イギリスのシェイクスピア研究者ゴードン・マクマランは、葛飾北斎が自伝『画狂老人』で、七三歳にしてようやく生物と自然の真の姿を描くすべを学んだので、九〇歳で奥義を極め、一一〇歳で一点一描が生命そのものを写すことができるはずだと語ったのを知って、その楽天ぶりに驚き、芸術家の年齢に対する意識が、西洋と東洋では大きく違っているのではないかと述べている[McMullan, 259]。確かに東洋には老熟の思想があり、芸術の完成の条件に、それを営む人間の加齢を据える。芸術とは骨董品と同じく、歳月を経て輝く鑑賞品なのである。時間が東洋においては「豊穣」をもたらすのに対し、しかし西洋においては「減退」を表した。老年は西洋の芸術家にとって創作意欲の枯渇と戦う人生最後の試練の時としてとらえられる。また受容者の評価も老大家とて容赦なく、時代への積極的なコミットメントがなければ忘れられるか、非難の的となる。

セザンヌは晩年パリの批評家から逃れてエクサンプロヴァンスで画業の完成に打ち込んでいたが、やはり病気と創作意欲との狭間で引き裂かれていた。重い糖尿病を患い、画家にとっての命である視覚に障害をきたし、おぼつかない眼で色彩を追いながら、有名なモン・サン＝ヴィクトワールや大水浴図の制作に取り組んでいた彼は、亡くなる一ヶ月前に友人のエミール・ベルナールに、自分に目的を達成するための十分な時間があるのか問いかける。「これからもずっと自然探求が続きます。何とか少しずつ先へ進んでいるようです。〔……〕わたしは老人で病んでいますが、自分に誓ったのです。こころを掻き乱す情熱に身をまかせたいと願っても、それでも老人に迫りくる、不名誉な老いの衰えにのみ込まれるくらいなら、カンバスに向かって死のうと」（エクスにて、一九〇六年九月二一日付書簡）[Kendall, 244]。彼にとって創作とは老いとの闘いだった。亡くなる一週間前に彼は息子のポールに宛てて書いている。「おまえの言うとおり、ここはまったくの田舎だ。次から次へと問題続きだが、とにかく仕事を続けているよ。だが最後にはここから何かが生まれる。それが大切なんだと思う。わたしの仕事はすべて感覚に与えられたもの頼みなので、人にはきちんと理解されないのだと思う」（エクスにて、一九〇六年一〇月一五日付書簡）[Kendoll, 247]。そう書いたあと彼は日課通り写生に出かけ、途中雷雨に遭う。ずぶ濡れになり、気を失って倒れているところを、偶然通りかかった洗濯屋に発見され、馬車で運ばれて帰宅するが、それ以来彼の容体は目に見えて悪くなり、日に日に衰弱する。しかし彼は、「描きながら死ぬ」という誓いを守った。遭難の翌朝すでに彼は、雇い人のヴァリエの肖像に手を加え、絶対安静にもかかわらずたびたび起き上がって水彩画に色づけをした。一九〇六年一〇月二三日午前七時ポール・セザンヌは世を去った[ダンチェフ、四〇六―七頁]。名実共に「描きながら死んだ」セザンヌは画家冥利に尽きるようだが、「わたしはこれまで自分を実現したことはありません」と生前繰りかえし語っていた彼にとって、人生はいまだ塗り残しのある画布だったのかもしれない。

やみがたい創作意欲と、それを阻もうとする老いとの相克――それは芸術家の宿命である。

一九二八年モーリス・ラヴェルは演奏旅行先のアメリカで絶賛を受け、作曲家として絶頂期にいた。第一次大戦の実質的な戦勝国は、ヨーロッパから経済だけではなく、芸術活動の主導権をも奪い取っていた。三ヶ月の興行を終えると、彼はモンフォール＝ラモリーの自宅ですでに二度目のアメリカ遠征を計画し、二つのピアノ・コンチェルトの制作に取りかかる。同時期に書かれたこの協奏曲はどちらも大戦の落とし子といえる。戦争で右手を失ったピアニスト、パウル・ヴィトゲンシュタインのために書いた『左手のためのピアノ協奏曲』は軍靴に踏みにじられた旧大陸への哀歌であるし、『ピアノ協奏曲ト長調』はジャズのリズムをふんだんに取り入れた新大陸への手土産だった。しかし悲劇が彼を襲う。タクシーでの事故で重傷を負い、それ以来集中力が衰え、慢性的な疲労を訴えるようになる。記憶力がにぶり自作を暗譜で演奏できなくなる。指の力が衰え、ピアノを弾くどころか、サインもできなくなる。意味不明の言動が現れ始め、自分の記念コンサートで、聴衆からスタンディング・オベーション受けるなか、自分も立ち上がって拍手をし、「すばらしい曲だね。ところで誰が作曲したの」と聞く。人一倍おしゃれでダンディだった男が、いまはネクタイも締められず、煙草も火が点いた方をくわえてしまう。『左手のための協奏曲』は好評を博したが、ヴィトゲンシュタインは単純な楽章に満足せず、装飾音だらけに書きかえて作曲者を怒らせた。『ピアノ協奏曲』は結局アメリカにはもっていけなかった。「どう考えても悲劇だ」と彼は嘆息を漏らす。セザンヌが、「心かき乱すほどの創作意欲」と「肉体の衰え」のあいだで引き裂かれた悲劇が、ラヴェルをも襲ったのだ。絶望の淵に沈む作曲家に、友人のピアニストが、「あなたのお仕事は完成したわ。もう作曲できなくても、作品は残るわ。その数は多く、すべてが素晴らしい」と慰めると、ラヴェルはその言葉を遮って言った。「何でそんなことが言えるんだ。わたしは何も書かなかったし、何も残してはいない。言いたかったことをまだ何も言っていないんだ!」一縷の望みを託した脳外科の手術は失敗し、その一〇日後に彼は息をひきとる〔エシュノーズ、一〇八頁〕。

審美主義の寵児だからだろうか、バッハであれ、モーツァルトであれ、バルトークであれ作曲家の晩年には悲劇がつきまとう。しかしこれは芸術家がなべて突き当たる壁といえる。その壁は彼らの作品を前人未踏の高みに引き上げることもあるが、逆に晦渋(かいじゅう)で理解しがたいものにすることもある。彼らが獲得した晩年のスタイルが複雑でいびつなのは、それが個人と時代と伝統が相克しあった結果だからだといえる。

作家における晩年のスタイルを論じる前に、まずは老年を哲学的に位置づけてみよう。

1　老いの誕生

老いは哲学の用語を使えば、即自的ではなく、対自的存在である。老化はつとめて主体的な現象であるにもかかわらず、「老いた」という意識は主体からではなく、社会的文脈のなかで作られる。「もう歳ね」という言葉がどれほど自覚的に響こうとも、実際はそれはある生活上の不具合（疲労、倦怠、失敗）の埋め合わせに発せられる自嘲であり、自己の老化と向きあう真の決意表明ではない。老いを自覚するためには、まなざしの転換という、一世一代の大事業を経験しなければならないのである。

社会学者の見田宗介は『まなざしの地獄』で、無数の視線が自分という個我の領域を侵犯し、存在すべき「わたし」を破壊し、在り得ない「わたし」へと改造する過程を、都市の不安のなかに生きた青年を例に描いた。それは社会のなかにまだ定点をもたない弱者を追い詰める不穏なまなざしであり、そうしたいわゆる「偏見」に屈しないように、わたしたちは強い自我の形成を求められる。

「老い」とはそれとは正反対に、自分が自分に許した「若さの偏見」から、他者のまなざしの助けを借りて脱し、自分自身も「まなざす他者」となって自分の直面する老いの現実を受け容れることを要求する。他人がわたしを老人として見ていることに気づき、訝しい気持ちで、鏡をのぞき込めば、そこには紛れもなく老人の自分がいることを発見し、わたし自身の自分と、鏡のなかの自分とが重なり合ったときの驚きと失望が、老いの誕生の瞬間である。このある種の「自己同一の危機」が人生に二度訪れることを、フランスの哲学者シモーヌ・ド・ボーヴォワールも次のように述べている。

初期の青年は自分が一つの過渡期を経つつあることを自覚している。彼の身体が変化し、彼を不安にするのである。これに反し、年取った人間は重大な肉体的変化を経験することなしに、他者をとおして自分を老人だと感じる。彼は彼に貼られた分類表に内心では同意しない。〔……〕成人になることは一般に彼ら〔青年〕にとって望ましいものと考えられている。なぜなら、それは彼らの欲望を満たすことを可能にするであろうから。少年は男性としてのいろいろな幻像をもち、少女は彼女の未来の女性性を夢みる。遊戯や、互いに語り合う話のなかで、彼らは好んでこの未来を先取りする。これに反して、壮年者は老齢を去勢の幻像と結びつける。〔……〕われわれの無意識は老いということを知らないのである。それは永遠の若さという幻影を生む。〔ボーヴォワール、下巻三四四頁〕

青年にとっての成長へのステップである肉体と精神の変化も、やがて死へとつながる退行も同じ変化であることは明らかだが、芸術の主題としては老年は青年期に比べて圧倒的に魅力に欠けている。これは老年のむかう先にある「死」が芸術の大きなテーマであることを考えれば奇妙な現象だ。われわれは感動的なフィナーレにばかり気を取られ、そこへと続く長い緩徐楽章には無関心なのだ。

老醜が文学の主題とはなりにくいことは、作家たちの老いへの恐怖から来るのかもしれない。ボーヴォワールは自身が六〇歳を迎えたことを節目に、老いについての百科全書的研究を始めた。彼女の『老い』は『第二の性』と並んで、あるグループが社会の周縁に生きることを余儀なくされた歴史的過程を解き明かし、その抑圧史の文化的な意味を探るものである。そこに描かれた高邁な古今の思想家、芸術家、政治家、科学者が自身の老いと直面してさらけ出す、必ずしも高邁とはいえない動揺ぶりを見れば、なにゆえ老いが文化的ファクターとして遠ざけられるのかがわかるような気がする。ルソーは想像力が枯渇し孤独のなかにうち捨てられる自分を嘆き、ジイドは過去の繰りかえしでしかなくなった自分に倦怠し、モーリヤックは美しいフィクションを読むことも書くこともなくなったと自嘲する〔ボーヴォワール、下巻四七四頁〕。スタンダールにとって老いとは、「無償の情熱に水をさす」ものであり〔下巻五二九頁〕、アンデルセンは「庭の薔薇がむかし語ってくれた以上のことをもはや語ってはくれない」ことに愕然とし〔下巻五三〇頁〕、フロイトは「ピアノの音はするが、ペダルを踏まないときのように心に響かない」〔下巻五三二頁〕と肩を落とす。輝かしい業績を歴史に刻んだ政治家クレマンソーもチャーチルもガンディーも、晩年に人格破綻をきたし、失策を繰り返した〔下巻五〇五頁以下〕。生涯のパートナー、サルトルが老いて精神の薄明に沈んでいくのを間近に見て、老熟という美辞とはかけ離れた非生産的な老後が待っていると悟ったボーヴォワールは、ひたすら晩年を悲劇的に演出した。しかしそうだろうか。北斎や、ゴヤや、ヴェルディのように、晩年の制作スタイルが新たな生気を得て、経験に裏打ちされた強靱な創作意欲に変化することも見逃せないのではないか。老芸術家の産み出す新しいスタイルは時代にとってアクチュアルでありうる。そのことを証明するために、ベートーヴェンの晩年の作品に触発された三人の思想家の芸術論を見てみよう。

2 ベートーヴェンをめぐる三つの晩年のスタイル

本書の標題はエドワード・サイードの同名の書によっている。サイードは自著の意図を、「人生の最後の一時期に、彼ら〔偉大な芸術家〕の仕事と思索が、いかにして新しい表現形式を獲得したのか」を探ることだとする。しかし彼が惹かれるのは栄光につつまれた晩年ではなく、「不調和、不穏なまでの緊張、またとりわけ、逆らいつづける、ある種の意図的に非生産的な生産性」のなかで生を終える者たちの最期である〔サイードa、二九頁〕。そうすると本書は、彼が『知識人とは何か』で言うように、「現状に対してほとんどいつも異議申し立てをしている」〔サイードb、三二頁〕知識人として生きたサイードが、死を予感しつつ最後に自らの晩年に贈った惜別の辞であるとも読めそうだが、彼自身はそう呼ばれることを潔しとしなかったかもしれない。なぜなら彼が思索の出発点としたテオドール・アドルノのベートーヴェン論はそのことをもっとも厳しく禁じているからである。

アドルノの『ベートーヴェンの晩年様式』（一九三七年）は、ベートーヴェンの後期作品を、主観の吐露、苦悩に満ちた人生の告白であるかのように捉える心理的ベートーヴェン解釈を真っ向から否定する。確かに、後期の有名なピアノソナタには、聴力を失った作曲家が、老いて病み、最後に到達した澄みきった境地が表現されていると評されるのが普通である。その清澄さの源泉は死の想念ということになろうが、アドルノはこの心理的解釈が作品を本来あるべき方向とはまったく逆の方向に向けてしまうとする。ベートーヴェンの主観の爆発的な力は、彼が確立したスタイル、あるいは音楽史の伝統形式――すなわち客観性――を粉々に粉砕し、その砕け散った断片が新たな表現となったと言うのだ。

死神に触れられて、巨匠の手はそれまでこねていた素材の塊を手放す。そこに走るひびや亀裂は、個我が存在者の前で最終的に無力であったことの証しであり、これが彼の最後の

作品なのである。〔Adorno[a], 15／アドルノａ、一九頁〕

客観的なのは、壊れた風景であり、主観的なのは、風景を赤く染める火花だけである。彼〔芸術家〕は両者の調和にみちた統合を引きだすことはない。分離の力として、彼は両者を時間のなかで引き裂くが、それはおそらくは、永遠なもののためにとっておくためである。芸術の歴史では、晩年の作品はカタストロフィである。〔Adorno[a], 17／アドルノａ、二一頁〕

アドルノは主観性の介在を否定するのではない。主観性はとりわけ因襲を破壊するためにあるが、重要なのは破壊者である主観でも、破壊された因襲でもなく、断片となって放置された因襲が芸術家の「晩年のスタイル」となって独自の主張を展開することにあるのだ。主観性は因襲と衝突し火花を散らし、客観的形式はそれによって一瞬照らされる。主観が客観を、あるいは逆に客観が主観を弁証法的に止揚して、その結果より高い統合が達成されるのではなく、残るのは調和を許さなかった両極の残骸である。よって晩年の作品はカタストロフィということになる。

ここまでであればボーヴォワールの老いの図式とさして違わないが、「破綻」により積極的な意味を読み込むことでアドルノとサイードは個人と歴史の問題に踏みこむ。サイードは『晩年のスタイル』で作家や音楽家の最後の創造性の源を「否定性」に求め、不断の「自己解体作業」が晩年の名作を生んだとしている。彼はベートーヴェンのピアノソナタ（op. 110）を例に、それが散漫で、無頓着な反復や中間休止や不連続に満ちていることを指摘し、作曲家の主観と形式が折り合わなかった、すなわち高次の統合に至らなかったとする。この点でアドルノの見解を出るものではないが、サイードは一歩踏み込んで、晩年 lateness を遅延 lateness と捉え直し、この欠陥を作家と歴史のあいだの亀裂と理解する。

アドルノにとって〈遅延性〉とは、容認されたものや正常なものを越えて生き延びるという考え方である。これに加えて、遅延性には、遅延性を越えては先に行けないこと、遅延性を超越できないし、そこから自らを解放することもできないという考え方もふくまれる。［サイードa、三六頁］

サイードはここで芸術家の遅れを歴史のなかにおける停滞と読み替えて、芸術家が宿命的におかれた時代の制約に対して、公然ととる拒否の身ぶりとしての lateness を提示している。それは時代に背を向けた孤高な芸術でありつつも、時代に力強く反旗を翻し、反抗し、それによって時代を超えた斬新さを予感させる「遅れ」なのである（サイードa、二二〇頁）。

このように見てくると両者の晩年理解は相似形をなすようにも見えるが、実は主観と客観への重点の置き方で大きく異なっている。サイードにとっては、晩年の客観形式は主観が選び取ったスタイルであるが、アドルノの最大の関心事は、主観を客観によってどのように規制すべきなのかということである。彼の論考が発表された一九三七年という年や、亡命哲学者という境遇からも、ここで言われる主観主義が戦前に流行した「主体性の哲学」を念頭においていることは容易に推測できる。啓蒙主義に発する理性中心の人間主義はニヒリズムとの対決を経て、人間主体の無限の拡張を礼賛する哲学潮流となっていた。アドルノはすでに一九三〇年代から、主観批判を通してこうした潮流へ警鐘を鳴らしていた。その成果が戦後一九六六年になってようやく公刊された『否定弁証法』であるが、そこで展開される主観・客観の図式は、三〇年前のベートーヴェン論と相似形をなしている。

こういう弁証法は否定的である。その理念はヘーゲルとの違いを示す。ヘーゲルでは、同一性と実定性が一致していた。非同一なもの、客観的なものすべてを、絶対精神にまで拡大し高められた主観へと引き込めば、そこで宥和が達成されると考えられた。これに対して、すべての個別規定に働いている全体の力は、それらを否定する力であるだけではなく、それ自体否定的なもの、真でないものなのだ。絶対的全体的主観の哲学は特殊である。

〔Adorno[b], 145／アドルノb、一七二頁以下〕

認識を弁証法に喩えれば、わたしたちの目の前にある外界は、主観に引き込まれ宥和され、一箇所の空隙もない世界として目の前に現れている。弁証法的に客観は主観に否定され、宥和されて、主観の一部となってしまったようだが、アドルノは弁証法全体に働く力を宥和ではなく、否定だと捉え、否定が否定されてなお否定のまま留まることに、弁証法の意味があるとする。つまり主観と客観が密かにおこなった宥和を取り消し、同一できないまま取り残された残留物（Nichtidentität des Subjekts）にむしろ目を向けることが、認識の真の努力である。そのために、構成的主観は矛盾を受け入れ、非同一的な客観に場所を譲らなければならない。主観に違和感を起こさせる客観にこそ、世界理解の可能性が秘められているからである。アドルノは言う。「自立的なベートーヴェンはバッハの秩序よりも形而上学的であり、したがって、より真なのである」〔Adorno[b], 389／アドルノb、四八八頁以下〕。

客観を主観の従属物に貶めることなく、それが新しい様式を開く未来的可能性をアドルノは見ていたわけであるが、彼からレクチャーを受けた作家トーマス・マンはそれをまったく独自のファシズム批判に作りかえた。亡命先のロサンゼルスで彼は亡命音楽家たちとコンタクトをとりながら、天才作曲家アドリアン・レヴァキューンの物語『ファウスト博士』を執筆していたが、そのなかでもっとも作品に大きな影響を与えたのがアドルノであったとされる。そのことは作品の第八章で、アドリアンの教師であるヴェンデル・クレッチュマルがおこなう公開講演に現れている。「なぜベートーヴェンは最後のピアノソナタ（op. 111）に最終楽章を書かなかったのか」という提題で話される音楽論には、アドルノがベートーヴェン論で展開した主観と客観、個性と因襲の問題がはっきり読み取れる。（ちなみにソナタの第二楽章の美しいアリエッタの主題にアドルノの本名である「Wiesengrund ヴィーゼングルント」と節をつけて歌うことで、マンはアドヴァイザーに謝意を表している。）

「偉大と死が一緒になるところ」と彼〔クレッチュマル〕は説明した。「そこに因襲に傾いた客観性が生じる。これはもっとも専制的な主観主義をも主権の点で凌いでいる。なぜなら、頂点に達した伝統をとっくに乗り越えていたはずの純個性的なものが、またもう一度成長を始めて、自分を越えていくからだ。それは肥大し、おどろおどろしく神話的なもの、超我的なものへ参入していく」〔Mann, 74／マン、上巻九六頁〕。

「主観的なものと因襲とが死を通して結ぶ新たな関係」が個人を越えた超我、即ち全体主義的なものを暗示することは明らかである。それは後年、成人したアドリアンが妹の結婚式で帰郷したとき、ツァイトブロームと交わす会話によりはっきりと現れる（『ファウスト博士』、第二二章）。それによれば、主観主義は自由をもてあまし、最終的に客観主義に保護と安全を求める。主観は法則、規則、強制、組織に従属して自己実現しようとする。

「芸術においてはいずれにせよ主観的なものと客観的なものは、見分けがつかなくなるほど絡まり合っているんだ。一方がもう一方から生えでて、もう一方の性格を受け継ぐ。主観的なものは客観的なものとして沈殿しているが、天才によって再び自発性に目覚めさせられる。〈動態化〉というやつだね」〔Mann, 259／マン、中巻三七頁〕。

客観と区別できないまでに絡まり合って自己を失ったかのように見えた主観は、天才によって再び自発性を呼び覚まされる。アドリアンはこれを、ベートーヴェンが古典的形式である「変奏」を呼び覚まし、ソナタの展開部として確立したことを例に挙げて説明する。しかしこれだけではまるでベートーヴェンの才能が全体主義を生んだかのような誤解を与えるが、天才の完全な自発性のためには悪魔との契約が必要である。アドリアンは、「天才を生む創造的な病気は、徒歩でとぼとぼ歩く健康よりも生命にとって千倍も好ましい」（同第二五章）とするが、これこそギリシャ・ローマに代わって、世紀末以来ドイツを支配した「ファウスト的なもの」への憧憬である。アドリアンは言う。

「それ〔ドイツ的なもの〕は時代に必要な何か――因襲が破壊され、あらゆる客観的拘束のなくなった時代、つまり自由が病原菌のように才能に寄生し、凶作の徴候を見せ始めるような時代にあって、治療を約束する何かを、表現しているのかもしれない」〔Mann, 258／マン、中巻三五頁以下〕。

マンもアドルノも客観性を「破壊されたもの」と捉える。しかしマンにおいてそれは「生き生きとした経験を固定化した」主観の産物に変容するのに対して、アドルノのそれは最後まで主観に対立してその欺瞞を告発しつづける残余物なのだ。(二人は実際一九四九年四月九日にマックス・ホルクハイマー邸で音楽論を戦わせた。マンは、完全な自由と自主性が芸術にとって最良のものかどうか疑わしいとし、芸術が最も偉大であった時代は、それが最も〈形式に〉拘束されていた時代と一致していると主張した。アドルノはこれが『ファウスト博士』からの引用であることに気づいたが、反論しなかった。ただしもし反論したなら、「バッハはベートーヴェン以上に形式に忠実だったし、彼の形式主義は成功しているが、彼の音楽はベートーヴェンに劣っている」と言うつもりだった。〔アドルノc、六四頁〕)

以上、ベートーヴェンの晩年に関する省察が三つの特殊な芸術論を生んだことを見てきた。

晩年にはほど遠い、三四歳になるかならないかの青年哲学者が亡命先で書いた晩年様式に関する試論は、同じくヨーロッパを追われた老大家に西欧文明の終焉を予感させる黙示録的大作を書かせ、さらにパレスチナという辺境からアメリカに移住した文明批評家に、ヨーロッパ文化のかかえる矛盾に思いを馳せさせた。一芸術家の晩年を特徴づけた、主観と客観、個性と因襲という対立は、老いていく文明が背負う運命そのものであったといえる。もちろん晩年が、個人的にも文明的にも、そうした二項対立だけで説明できるとは限らない。しかしこれら三つの晩年論は、老いという現象が若さ以上に、運命的なものを表現し得るのだということを示している。

3　本書の構成

本書は八人の人文科学研究者がそれぞれの視点から、矛盾にみちた芸術家の最後の到達点のもつ意味に答えを与えようとした試みである。それが文学に重点をおいているのは、これまで老年のスタイル変化は、様式の変化がわかりやすい音楽や絵画に焦点をあてて論じられることが多かったからであり、作家の「老いて書く、老いを書く」人生の到達点を論じることが少なかったからである。その意味でも本書は老年学研究において新しい地平を開く試みである。

香田芳樹は、一般的な人生区分がユダヤ・キリスト教的な時間論に由来することを論じたあとで、古代から中世後期にいたる老年観の変遷を論じる。キケロやタキトゥスの長老崇拝は氏族社会の衰退と封建制の発展の過程で、若さの礼賛へと変化していく。中世英雄叙事詩は老いた父と息子の間に克服しがたい壁があることを描いている。また中世後期の恋愛叙情詩人や神秘家たちが等しく四〇歳を老いの始まりとして強調することに、個性と終末論的な時間意識との接続が見られるとされる。

ゲーテほど自身の老いに敏感であった作家はいないだろう。畢生の大作『ファウスト』は若返りの物語であるし、老いらくの恋の産物である『マリーエンバートの悲歌』も若返りの試行報告とも読める。**山本賀代**は、ゲーテが改稿を重ねて書き上げた『五〇歳の男』のなかで彼がどのような老いの様相を構想したかを緻密な文献学的手法を駆使して解明する。この作品の主題も若返りであるが、肉体的老化や美容術の失敗を経験する五〇歳の男がユーモアとイロニーと「哀歌的主題」のもとに描かれるところに、ゲーテ自身が自らの老いを二五年の歳月をかけて受け容れたプロセスが読み取られ、この作品のゲーテ研究における重要性が論じられる。

西尾宇広は、一九世紀にヨーロッパで大きな盛り上がりを見せた政治的・文化的青年運動がやがて当初の客気を失って権威化し、次の世代に追い落とされる現象を二人のドイツ人作家を例に分析している。「若きドイツ」の代表的論客であったハイネは、キリスト教に追われて流浪の身となったヨーロッパ古来の神々の悲運に思いを馳せたが、それは新旧対立の単純な図式では語れない。晩年彼が亡命者の身の上を流謫の神々に重ね合わせつつも、キリスト教と和解の道を模索するなかで、「老境の神々」という形象にたどり着いたことが明らかにされる。また同じく「若きドイツ」の前衛的作家グッコーは、後続のリアリズム批評家に早熟ぶりを批判される。ここには時代が青年を拒み、啓蒙主義以来の「理性的な老人」の理想へと回帰するさまが見られる。

磯崎康太郎は、代表作『晩夏』で知られるオーストリアの作家シュティフターが、初期から最晩年まで多くの老人を作品に描いたことに注目し、その意図が若年と老年の世代間連携であったことを論じている。この連携によって作家は、若年世代が教育され、老年が孤立から救われる理想的な社会を見いだした。しかし、晩年彼を襲った数々の不幸は、彼が理想とした晩年の実現を許さなかった。実生活で老いた作家が、困難を乗り越えて後続世代に希望を託そうとした姿が明らかにされる。

四〇歳で没したカフカは短い晩年を過ごした。しかし彼の作品にある成熟や進歩に対する懐疑は、作家がそれだけ老いに対して明確な意識をもっていたことを表している。**川島隆**は、『田舎医者』を精読することで作家の時間感覚を読み解き、彼が時間／時代に抵抗し、挫折し続ける敗北者を描こうとしたと論じる。これはカフカが、ドイツ文化に同化したリベラルな父親世代への反発から、ユダヤ文化の保護を訴える保守的青年運動としての一九世紀の文化シオニズムに関心を寄せていたことと伝記的に符合している。しかしカフカ自身は彼が描く「自分に与えられた行いをためらう」主人公たちと同様に、そうした運動の熱狂と心理的な距離を置かざるを得なかったことが指摘される。

坂本彩希絵は、現代ドイツ文学を代表する作家トーマス・マンが初期の『ブッデンブローク家の人々』から、最晩年の『欺かれた女』まで一貫して市民社会の危機を主題としてきたことに注目する。彼が描こうとしたのは、ヨーロッパ社会を長らく牽引してきた中産市民階級が二〇世紀に入ると力を失い、デカダンスやペシミズムやニヒリズムの担い手となる姿であり、そうした「時宜を逸した」（サイード）晩期社会のなかで芸術家が果たすべき使命を作家が終生問いかけ続けたことが論じられる。

松田和之は、マティス、ピカソ、藤田嗣治、コクトーの四人の画家が晩年にカトリック教会の小さな礼拝堂の内部装飾に取り組んだ事実に注目する。一見信仰とは無関係に見える彼らは、芸術的資質と宗教的信条の間で葛藤を経験するが、それを克服して壁画制作を成し遂げた。そこには晩年の諦観ではなく、自らの芸術空間を作ろうという、彼らの沸き立つような創造の息吹が見いだされるのである。

野端聡美は、一般にジプシーという名で知られ、現在もヨーロッパに一〇〇〇万から一二〇〇万人存在するといわれる遍歴の民「ロマ」における、世代間の「語り」の問題を扱っている。歴史的に差別の対象となり、ファシズム下では組織的に虐殺され、今日もマイノリティとして生きる彼らが、自民族の体験を記録伝承することがなかったのは、自分たちを多数派集団とは相容れない特殊な存在として定義してきたからであるが、近年老年世代のロマのなかに、若年世代に体験を語り伝えようとする動きが出てきた。その背景に二〇世紀のホロコーストを体験したロマたちの「語り」を通してのアイデンティティの確認があったことが論じられる。

参考文献

アドルノa、テーオドール・W『ベートーヴェンの晩年様式』、『楽興の時』三光長治他訳、白水社、一九七九年、一五一―二一一頁。

アドルノb、テオドール・W『否定弁証法』木田元他訳、作品社、一九九六年。

アドルノc、テオドール・W『ベートーヴェン――音楽の哲学』大久保健治訳、作品社、一九九七年。

エシュノーズ、ジャン『ラヴェル』関口涼子訳、みすず書房、二〇〇六年。

小堀杏奴『晩年の父』岩波書店、一九八三年。

サイードa、エドワード・W『晩年のスタイル』大橋洋一訳、岩波書店、二〇〇七年。

サイードb、エドワード・W『知識人とは何か』大橋洋一訳、平凡社、一九九八年。

ダンチェフ、アレックス『セザンヌ』二見史郎他訳、みすず書房、二〇一五年。

ファセット、アガサ『バルトーク――晩年の悲劇』野水瑞穂訳、みすず書房、二〇〇〇年。

ボーヴォワール、シモーヌ・ド『老い』朝吹三吉訳、人文書院、一九八六年。

マン、トーマス『ファウスト博士』（上・中・下）関泰祐・関楠生訳、岩波書店、二〇一二年。

見田宗介『まなざしの地獄』河出書房新社、二〇〇八年。

Adorno[a], Theodor W.: Spätstil Beethovens, in: Musikalische Schriften VI (Gesammelte Schriften, vol. 17), Frankfurt a. M. (Suhrkamp) 1982, pp. 13-17.

Adorno[b], Theodor W.: Negative Dialektik (Gesammelte Schriften, vol. 6), Frankfurt a. M. (Suhrkamp) 1982.

Cole, Thomas R. et al. (edds.): Handbook of the Humanities and Aging. Second Edition, New York (Springer) 2000.

Kendall, Richard (ed.): Paul Cézanne. Leben und Werk in Bildern und Briefen, München 1989.

Mann, Thomas: Doktor Faustus. Das Leben des deutschen Tonsetzers Adrian Leverkühn, erzählt von einem Freunde. Berlin (Aufbau) 1956.

McMullan, Gordon: Shakespeare and the idea of late writing. Authorship in the proximity of death, Cambridge (UP) 2007.

第1章

「よちよち歩きの時分から柵のところまで」

――ヨーロッパ古代と中世における老年描写

香田芳樹

厚生労働省のホームページの「生涯を通した健康課題」には人の年齢分布が次のように示されている。

生まれてから死ぬまでの生涯を、「幼年期」(育つ)、「少年期」(学ぶ)、「青年期」(巣立つ)、「壮年期」(働く)、「中年期」(熟す)、「高年期」(稔る)の六段階に大別してみる。個人は各段階に応じた役割や課題を達成しながら、次の段階へと進み、「死」を区切りとするまでの、ひとつの人生の完成へと至る。

そこでは人生をおおよそ、幼年期〇—四歳、少年期五—一四歳、青年期一五—二四歳、壮年期二五—四四歳、中年期四五—六四歳、高年期六五歳—の六段階に分けている。この六段階法は世界のほぼ全域で使われているが、そのルーツを辿れば、西欧的な歴史観にたどり着く。六世紀に生きた歴史家セビリアのイシドルスは『語源誌』で六つの「期」(aetas)が人間の歳にも世界の年にも使われるとしている[Isidori Hispalensis, 209]。それによれば、(一)アダムからノア、(二)ノアからアブラハム、(三)アブラハムからダヴィデ、(四)ダヴィデからバビロン捕囚、(五)バビロン捕囚からイエス・キリストの受肉、(六)現在に分かれる。一七世紀の教育学者コメニウス(一五九二—一六七〇年)も『汎教育』の中で人生を学校に喩え、胎児期(genitura)の学校と死後(mors)の学校との間に幼児期(infantia)、少年期(pueritia)、青年期(adolenscentia)、壮年期(juventus)、中年期(virilita)、老年期(senius)の六つの学校があるとしている[Comenius, 12f.]。教育の始まりを母の胎内にすでに求めていることが特徴的であるが、生まれてから死ぬまでを六つの段階に区切る思考は現在のものとほぼ同じである。この六という数字は実は、旧約聖書の神の世界創造に由来している。神が六日間かけて世界を創造し、七日目に休んだという一週間の神話は生命の誕生と死のサイクルも定めることになった。

さて、世界創造の最終日にもっとも高等な人間が造られたということは(『創世記』一:六)、人類の歴史が知的成長と比例していることを示している。歴史はより長く持続する慣習の上にもっとも善く成り立つのであり、よって知の蓄積は社会の安定に不可欠である。一八世紀ドイツの作家ゴットホルト・エフライム・レッシング（一七二九―一七八一年）が代表作『賢者ナータン』で、十字軍時代にキリスト教徒とユダヤ教徒とイスラム教徒が共生するエルサレムを舞台にした戯曲で、ユダヤ人の長老ナータンを賢者と呼ぶのは、長年蓄積した彼の経験と知恵が三つの対立する宗教を融和させるからである。彼は、これらの宗教のうちでどれがもっとも優れているかという支配者スルタンの問いかけに、三つの指輪の喩えで答える。大切なのはどの指輪が本物かではなく、それを譲り受けたものがその後どんな人生を歩むかだと。喩えは言う、「数千年後のそのときにこそ、わしはお前達をまたこの裁判官席の前に召喚しよう。その時には、わしよりも賢明な人が、この席に坐ってこういう判決を下すだろう」［レッシング、一一五頁］。レッシングのこの言葉には終末論的な含意があることも見逃せない。「数千年後」の世界とは、ユダヤ教とキリスト教の次に来る「第三の国」を指す。時間を突き破って、歴史の外側に出て初めて、事の善悪を判断できるというこの言葉は、知性が時間どころか、超時間と結びついていることをも示している［Lessing, 73-99。および、香田（二〇一六）、一〇頁以下］。

1　ストア哲学の老賢者

「長老」＝「賢者」は、例えばキケロ（前一〇六―前四三年）の『老年について』の基本主張でもある。彼は、八四歳になった大カトーと彼を訪れた二人の若者スキーピオーとラエリウスの対話を通して、「老年こそ、諸々の徳を身につけ実践する」のに絶好の機会だと説く（第九節）。大カトーは老年が惨めなものだと思われる四つの理由を挙げ、それらを次々に論破していく（第一五節）。第一の、「老年は公の活動から遠ざけるから」に対して、彼は、「肉体の力とか速さ、機敏さではなく、思慮・権威・見識で大事業はなしとげられる。老年はそれらを奪い取られないばかりか、いっそう増進するものなのである」と反論する（第一七節）。それゆえ、国家の最高機関も元老院（セナートゥス）と言うのだ、と。第二の、「老年は肉体を弱くするから」に対して、「老年に体力は要求もされない。だから私らの年配は法律と制度によって、体力なしでは支えきれない義務からは免れているし、できないことはもとより、できるほどのことでも強制はされないのだ」と反論する（第三四節）。おおむね老人が肉体的に弱く、青年が強いという図式を認めつつ、偉業を成し遂げた老人たちが並外れた精神力で、肉体の衰えを克服してきたことをさまざまな事例をあげて述べる。第三の、「老年はほとんどすべての快楽を奪い去る」に対して、「快楽は熟慮を妨げ、理性に背き、いわば精神の眼に目隠しをして、徳と相渉ることは毫もない」ので、「理性と知恵で快楽を斥けることができぬ以上、してはならぬことが好きにならぬようにしてくれる老年というものに大いに感謝しなければならぬ」と述べる（第四二節）。快楽に身を委ねない「暇のある老年」は、学問（弁論術、天文学、法学、史学）や芸術、そして何より農業により没頭できる利点があると言う。第四の、「老年は死から遠く離れていないから」に対しては、「束の間の人生も善く生き気高く生きるためには十分に長いのだ。〔……〕春がいわば青春を表し、来るべき実りを約束するのに対し、残りの季節は実りを刈り、取り入れるのにふさわしいのだから」と反論する（第七〇―七一節）。それどころか死は人間にしっかりとしたモラルを与える。独裁者ペイシストラトスにソローンが反抗した時、「何を頼んでそんなに大胆に逆らえるのか」と問われて、彼が「老年を」と答えたことをあげ、「死を軽んじることができる限り、立派に生きていける」と説く（第七二節）。それどころか、青年も「死をものともせぬよう若い時から練習しておかなければならない」のである（第七四節）。

しかし、老いを手放しで賞賛するのではなく、それのもつ否定的側面にキケロが思いを馳せていたことも作中のいくつかの箇所でうかがわれる。たとえば彼の死生観の背景には魂の不死への信仰があるが、キケロがこれを無条件で信じているかとなると、話はやや微妙である。対話の最後で彼は大カトーに一抹の疑念をもって次のように言わせる。「しかしもし、わしが人間の魂は不死だと信じるのが間違いだというなら、進んで間違っていたいし、喜びの源であるこの間違いを、生きている限りわしから捥（も）ぎ取ってもらいたくないものだ」（第八五節）。『老年について』を執筆した紀元前四四年頃はキケロにとって、公私ともに困難な時期であった。政治的動乱に巻き込まれ、蟄居を余儀なくされ、離婚・再婚・離婚を繰り返し、最愛の娘を失っていた。六〇歳を越えた思想家が自らの老いと死に思いを馳せながらこの書を記したことは間違いない。その反面、ストア派を代表する偉大な思想家として、哲学的な思惟が現世の幸福を来世の幸福に簡単に譲り渡すことを許さなかったのかもしれない。それは彼の政治観にも表れている。キケロは大カトーの口を借りて、ハンニバルを破った老将軍クィントゥス・マクシムスの知恵を絶賛している。

何という談話、何という教訓、古代に関するなんと夥しい知識、そして、鳥卜法の熟知！その上、ローマ人にしては豊かな文学の素養があった。国内に限らず外国のことまで、あらゆることを記憶にとどめておられた。（第一一節）

執政官、老マクシムスはローマの知恵の集積庫であったが、ここに占い術も含まれていたことに注目したい。古代ローマでは呪術がいまだ政治の舞台で意味をもっていたのだ。占いの術は言うまでもなくアニミズムと関連し、古老の知恵につながる。しかし一方で、キケロ自身は別の箇所で、マクシムスが鳥卜師でありながら政治的判断を優先し、「国家の安全のためになされることが、占いに反することはない」と考えたとしており、これは、ローマが老人の知恵から距離を取り始めていたことを示している。ストア的な「徳」を政治原理に据えたキケロは、彼より一〇〇年前にローマの政界を支えた大カトーの「知恵」がすでに時代遅れになりつつあることに言及したのである。

そのことは、キケロのさらに約一五〇年後に生きた、タキトゥス（五六―一二〇年）の時代にはもっと顕著になっていたのだろう。『ゲルマニア』（九八年頃成立）で彼がゲルマン戦士たちの長老崇拝を驚嘆の眼差しで見つめるのは、長老が近代国家ローマの軍事組織からすでに消えていたからであり、そのことを彼はローマの衰退と重ね合わせているのである。

いったん戦列についた以上、勇気において［扈従(こじゅう)に］敗(ひ)けをとるのは長老の恥辱であり、長老の勇気に及ばないのは扈従の恥辱である。さらに、長老の戦死をさし措いて、みずからは生を全うして戦列を退いたとすれば、これ、生涯の恥辱であり、不面目である。――長老を守り、長老を庇い、みずからの勇敢さによる戦功をさえ、長老の名誉に帰するのがその第一の誓いである。まことに長老は勝利のために戦い、扈従は長老のために戦う

［タキトゥス、第一四節］。

老いが武力行為において不利であることは言うまでもないが、それは祖先崇拝と結びついて、家の存続へすべての価値を結集させる効果をもつ。「存在する」とは「老いる」ことであり、若さは老いることを前提にして意味がある。この思想はその後もゲルマン人たちに受け継がれていく。

2 中世英雄叙事詩の老賢者

封建性が領地の安堵を前提として結ばれるのに対し、家と家の血で結ばれたゲルマンの従士制は、老いに特別な色合いを与えた。タキトゥスの驚きは、ドイツ語による最古の叙事詩とされる『ヒルデブラントの歌』（八〇〇年頃成立）における、老いたゲルマン騎士と若きローマ騎士の対決にも余韻を残している。

東ゴート族のディートリヒ王と彼の師傅（しふ）ヒルデブラントは、同じゲルマン人の傭兵隊長オドアケルによってローマを追われ、フン族のアッティラのもとに庇護を得ていた。三〇年がたち、捲土重来を誓ったディートリヒとヒルデブラントは満を持して、オドアケルを討つべく再びローマに軍を進める。彼らが国境にさしかかると、敵の軍勢が立ちはだかる。一行の行く手を遮るオドアケル軍の指揮官こそ、ヒルデブラントがローマを脱出するときに妻とともに残してきた実の息子ハドブラントに他ならない。彼はローマでオドアケルの部下として頭角を現し、国境警備隊長となっていた。二人の対決は、ゲルマンの部族知と、ローマの実用知の対決でもある。叙事詩は語る。

〔……〕両軍相対する中、二人の騎士は、馬に乗って進み出た。／齢を重ねたヒルデブラントが口火を切った。／誇り高き男は、単刀直入に／尋ねた。「貴公の父の名を伺いたい。／家名を名乗られよ。／誰かの名を聞けば、その他の者も察しがつく。／若い騎士よ、国中の武者たちは皆、昔馴染なのだから。」（六―一〇行）

作者はここで二人の年齢差を強調した上で、父ヒルデブラントにまず息子の家名をたずねさせる。これは彼の「知恵」が共同体的に形成されていることを示している。息子のハドブラントは父の名を告げ、彼がディートリヒ王の忠臣であり、恐れを知らない勇者であったとする。ヒルデブラントは実の息子と対峙していることに驚き、フン族の王から拝領した腕輪を外して、息子に和睦の印として与えようとするが、息子は異国の騎士の言葉を信じない。血気盛んな若武者の前に言葉を失った父はやむなく決戦に挑んでいく。

ここで注目したいのは、老騎士が一貫して知恵者として描かれていることだ。それは、息子のハドブラントの言葉に次のように示されている。

「あなたはずいぶんなご老体だ。悪知恵もずいぶんおもちだろう。」〔pist also *gialtet* man, so du ewin *inwit* fortos.（第四一行）強調筆者〕

「悪知恵」inwit とは、wit すなわち「知ること」wissen の否定形である。老練なフン族の騎士が悪知恵に長けているのに対し、ハドブラントが戦闘経験に乏しいことは、彼の「甲冑が真新しい」（四五行）ことに現れている。二人の戦いが腕力だけによるのではなく、知恵比べであることが示唆されている。

この未完の叙事詩の結末は伝えられていないが、平行して各地に伝わる「父と子の戦い」を描いたインド・ヨーロッパ語族の物語、ロシアの『ブィリーナ』、アイルランドの『クフーリンの物語』、ペルシャの『王書』などから、父が勝利することは明らかである。老境を迎えた父が壮年の息子に打ち勝つという展開は現実的ではないが、どの物語でもそれを可能にするのはやはり「知恵」、あるいは「宗教的叡智」である。

『ブィリーナ』では、英雄イリヤ・ムウロメツはそれと知らず息子のボドソコリニクと戦い、いったんは組み伏せられるが、彼が神に祈ると力が倍増し、息子を逆にねじ伏せてしまう。やがて親子と知った二人は和睦し分かれるが、敗戦を屈辱と感じた息子は戻ってきて父を寝所に襲い、力まかせに槍で胸を突く。しかしイリヤの胸に掛かっていた十字架に槍ははね返され、ボドソコリニクは怒った父に投げ飛ばされ、木っ端みじんに砕け散る〔『イリヤ・ムウロメッツ』、八六—九六頁〕。

アイルランドのコノール王に仕える英雄クフーリンは、かつて武者修行の旅の途上で出会った女性との間に一児をもうける。時がたち父を捜してやってきた息子のコンラに一騎打ちを挑まれ最初は打ちのめされるが、最後に魔法の槍ゲイ・ボルグを取り出して、息子を殺してしまう〔井村、一八頁以下〕。

『王書』では英雄ロスタムが、父を捜してやって来た忘れ形見のソフラーブと戦う。勇者となったわが子の力にかなわず、あわや首を掻き切られようとしたそのとき、ロスタムは機転を利かせて、「ペルシャの流儀では、最初に敵を倒しても即座に首をはねてはならない。二度目に組み伏せたときこそ、その権利をもつ」と息子に伝える。この嘘のおかげで命拾いしたロスタムは、その夜、神に運命を変えるように嘆願し、それがかなえられて、翌日の決戦ではソフラーブの胸に剣を突き立てる〔フェルドゥスィー、二一一—二七三頁〕。

どの物語にも共通しているのは、老人である父が家や氏族の中で温めてきた「知恵」と「信仰」が、若者の肉体的な力を圧倒するという思想である。『ヒルデブラントの歌』に話を戻せば、この未完の物語も同様の展開をたどることは間違いない。それはインド・ヨーロッパ語族に共通する「父権性原理」がそうさせるからであるが、それと並んで、この作品がドイツ中部の古都フルダの修道院で書かれたことにも原因しているのではないだろうか。カロリング朝ドイツの学問を代表するこのベネディクト派修道院には多くの秀才が集い、聖書や古典の研究にいそしんだ。『ヒルデブラントの歌』の作者もそうした修道士の一人だと考えられるが、彼がキケロの『老年について』を知っていたとして不思議ではない。なぜならカロリング期からキケロは聖書と並んで熱心に研究され、この書も有名な『義務について』とともに中世を通して知られていたからである［Rüegg, 2066］。ヒルデブラントの人間像にキケロが描いた、「運命に従順で、肉体的には衰えても、知恵によって困難を乗り越える老人」が重ね合わされることもできるのではないか。

神よ、何という運命を与えるのか。／国を出て、夏と冬を六〇回やり過ごし、国々をさまよった。／城攻めで、手傷を負っては大変と、／後方の射手の部隊に入れられた。
しかし今、実のわが子の剣を受け、／刺し殺される定めなのか。それとも、わが子を血の海に沈めるのか。（四九―五四行）

わが子を手にかけなければならないヒルデブラントのこの台詞には、キケロの言う老年への諦めと嘆きと配慮と希望が込められているように思える。

３　ミンネ（恋愛）詩人の晩年

歴史的叙事詩と並んで、恋愛抒情詩（ミンネザング）も中世を通して愛された。騎士である歌人が高貴な貴婦人（多くは主君の妻）へのかなわぬ恋心を歌う詩は、「高いミンネ」と呼ばれて、騎士道に特有の「克己の精神」を表現するものとなった。身分の高い夫人に奉仕を約束し、彼女たちの美貌と内面の徳を称揚することは、逆に言えば臣下の自分を一層低めることである。マゾヒスティックに自らの不徳を強調することの意味は、叶わぬ恋の情熱と忠誠心がどのような困難に出会っても萎え怯まず、ますます大きくなることを強調するためである。彼らは叶わぬ恋に身を焦がす自分の姿に、常人には不可能とも思われる試練に打ち勝つ英雄の姿を重ね合わせようとしているのである［高津、三三九―三四一頁］。一二世紀後半プロヴァンス語で詩作したいわゆる南仏のトゥルバドゥールと同様、ミンネゼンガーたちもダイナミックな生命にあふれる感情を吐露する情熱人であり、老年とは関係なさそうに見える。実際、中世盛期の代表的歌人ハインリヒ・フォン・フェルデケ（一一五〇以前―一一九〇／一二一〇年）にとってミンネとは若いエネルギーの湧出であり、それゆえ彼の歌に登場する「わたし」とは例外なく若者である。しかし、一三―一四世紀のミンネゼンガーたちがつくった無時間的愛に代わって、宮廷のカノンの消失した一五世紀には個性の誕生と共に、ミンネザングに年齢が表現されるようになった。愛にも年齢があるという過酷な現実が芸術の主題となったのである。その代表例が、オスヴァルト・フォン・ヴォルケンシュタイン（一三七七年―一四四五年）の詩『事の顛末』（Es fügt sich）である。

オスヴァルトは南チロル地方のシェーンエック城（現在はイタリア領）で、名門貴族の次男として生まれた。次男坊という気楽な立場もあったのだろう。騎士の従者として、北はロシア、南はアフリカ、東はトルコ、西はスペインとヨーロッパ中をくまなく旅して周り、父の死後故郷に戻った。「一〇歳の頃、この世界とはどんなものか見てやろうという気になった。」〔Es fügt sich, do ich was von zehen jaren alt,/ ich wolt besehen, wie die welt wer gestalt〕（Oswald, v. 1-2）で始まる一一二行詩はそうした彼の前半生を描いた詩である。ヨーロッパ各地を旅し、戦乱に巻きこまれ、争い、恋をし、この世の出来事をさまざまに体験して四〇歳にあと二年という、三八年目にオスヴァルトはこの詩を書いた。中高ドイツ語で書かれた原文は、洒脱な調子にあふれている。

四〇までにあと二つというところまで、おれはいがみ合い、つかみ合い、詩を書いて、あれやこれやと歌ってきた。自分の子どもが揺籃から泣き叫ぶのを親として聞いてもよい歳のはずだが、この世でおれに詩心を授けてくれたあの女性のことを永遠に忘れられずにいる。この世のどこを探してもあの方に匹敵するような方にはお目にかかれなかった。世の奥方たちがキイキイ言うのが聞こえる。おれがつたない歌を捧げてきた、いと賢き方が判決と会議の際におれのことを思ってくれたのだ。おれことヴォルケンシュタインは、まったく無分別な人生を送り、かくも長きあいだ浮世に歌の調子を合わせている。この命いつ尽き果てるか知るよしもないが、その時が来れば、せめても自分の作品の代価がおれについて来てくれると信じたい。神の言いつけに従ってよく生きれば、むこうで燃えさかる炎の海を恐れることもなかろう。〔Ich han gelebt wol vierzig jar leicht minner zwai/ mit toben, wüten, tichten, singen mangerlai;/ es wër wol zeit, da ich meins aigen kindes geschrai/ elichen hort in ainer wiegen gellen./ So kan ich der vergessen nimmer ewiklich,/ die mir hat geben mut uff disem ertereich:/ in aller werlt kund ich nicht finden iren gleich,/ auch fürcht ich ser elicher weibe bellen./ In urtail, rat vil weiser hat geschätzet mich,/ dem ich gevallen han mit schallen liederlich./ ich, Wolkenstein, leb sicher klain vernünftiklich, das ich der werlt also lang beginn zu hellen./ Und wol bekenn, ich wais nicht, wenn ich sterben sol,/ das mir nicht scheiner volgt wann meiner berche zol./ het ich dann got zu seim gebott gedienet wol,/ so forcht ich klain dort haisser flamme wellen.〕(Oswald, v. 97-112).

一見すると老年に入ろうとする詩人が人生の貸借関係を清算するために自伝を書き始めただけのように見えるが、少し精読してみると、この一節から、中世のミンネゼンガーが晩年のスタイルを明確に意識していたということが読み取れる。

まず年齢について。聖書において四〇という数字は完成を表す数字である。モーセがシナイ山で啓示を受けて下りるまで四〇日と四〇夜（「出エジプト記」二四：一八）であったし、イスラエル民族も四〇年間荒野を流浪した（「出エジプト記」一六：三五、「申命記」二：七）。新約では、イエスの四〇日にわたる荒野の断食（「マタイによる福音書」四：二、「ルカによる福音書」四：一）は有名であるし、復活したイエスは四〇日間弟子たちのもとに留まった（「使徒行伝」一：三）。オスヴァルトがそこに二年を残したのは、この歳になっても、あいもかわらず「浮世に歌の調子を合わせている」自分を客観的に見ながら、残った歳月を、煉獄の火に焼かれることなく、死後の浄福を手にいれるための準備に使うためである。しかしそれだけなら、老境に入った詩人が死の恐怖の前で信心深くなったということだけのように見えそうだが、この詩の最後の一節には詩人の晩年のスタイルの表明が見られる。

オスヴァルトのミンネザングの特徴は、彼以前のものが恋愛感情を伝統的なステレオタイプで表現しているのに対し、彼のそれは具体的で官能的だということだ。「よちよち歩きの時分から柵のところまで」（von anefangk ains kindes gangk bis auff die schranck, Kl. 36, v. 29f.）の人生を詩人は韻文詩に書きとめようとした。この自伝詩の前半も彼の奔放な女性遍歴を半ば自慢げに告白しているが、引用した最終節でオスヴァルトがその調子を一転させていることに注目したい。ここで二人の人物が登場する。一人は女性、もう一人は男性で共に匿名である。前者はこの地上でわたしに心（Mut）を与えてくれたがゆえに、永遠に忘れられない女性である。それは「キイキイ言う」この世の女たちとは次元の違った何か神的な存在である。後者は、わたしが歌を捧げてきたがゆえに、審判（Urteil）と審理（Rat）の際にわたしを見そなわした男性である。最終節が改悛（Buße）の形式をとっていることに注目したい。キリスト教においてUrteilは最後の審判に下るものであり、Ratは天地創造の三位一体の会議と関係する重要なキーワードである。世の最初と最後に関わる「賢き」（weis）方（weisは中高ドイツ語では宗教的叡智を意味する）とは一般人ではあり得ない。その方に詩人は彼の芸術を捧げてきた。そして彼の歌心（Mut）は歌神であるミューズ（Muse）によって与えられ、それを三八年間追求し、今その報いを求めているいると読めるのではないか。それが「自分の作品への代価」であり、それを携えて煉獄の火を免れたいというのだ。

芸術家の晩年のスタイルが改悛と魂の救済と関連しているということは、一世代前のミンネゼンガー、ヴァルター・フォン・デア・フォーゲルヴァイデ（一一七〇年頃―一二三〇年頃）にも見られる。キーワードはやはり四〇年である。

紳士淑女の皆様、わたしに名誉と愛ある挨拶をもっと潤沢にお贈りいただかなければなりません。以前にもましてそれは喫緊の大事です。理由をお知りになりたければ、お答えしましょう。四〇年以上もわたしは愛と愛の報いを謡ってきました。人を幸せにしたばかりで、自分には報いなく、報いられたのは皆様ばかり。愛の歌が皆様にお仕えしますから、払いはどうぞわたしの懐に。杖ついて行かせてください。そして子どもの頃からたゆまず励んだ詩業にふさわしい報いを受けとらせてください。［Des Minnesangs Frühling 66, 21/ Walther, 144-146／高津、二二九頁以下］

ここではヴァルターは庇護者に、子どもの頃から絶えず励んできた創作が、杖ついていく老人の自分にいま報いるべきだと訴える。彼の言う名誉（êr）と愛ある挨拶（minneclicher gruoz）は言うまでもなく物質的報酬である。愛の歌それ自体は若さに属するが、社会奉仕であるがゆえに、老後も保障しなければならないのである。これはオスヴァルトが宗教的コンテクストで「私の作品の代価」（meiner berche zol）といったものに一致している。芸術は老後と死後のための担保なのである。

しかしそのためにはまずは、世俗の愛と縁を切らなければならない。老いた詩人がよく歌う

「浮世婦人」との訣別は、若き日のミンネの反省と否定である。

浮世婦人よ、この世の借りはすべて返したと、主人にお伝えください。ずいぶんたまった借金も完済しました。この上は証文から名前を削ってくださいと。〔……〕あの方はその日が来るまでお静かだが、支払いが済んでいないと賭け金を没収される。[Des Minnesangs Frühling 100, 24/ Walther, 142／高津、二三四頁／岸谷、一三七頁]

「あの方」とはもちろん最後の審判の席につく神である。愛の女神(ミンネ)を讃えた詩作によるこの世への貢献が、人生の終わりにあたって裏目に出るかもしれないという恐れと、詩神への捧げ物をしたことの自負がここでは交錯している。

浮世婦人よ、ずいぶん楽しませていただきましたが、悪癖から手を引きます。ここいらが潮時。あなたの魅力があまりに心地よく、すっかり目がくらんでおりました。〔……〕ところがあなたの後ろ姿を見て、そのあまりのおぞましいお姿に、ことのほか嫌気がさした次第です。[Des Minnesangs Frühling 100, 24/ Walther, 144]

だが晩年のスタイルは単に青春の否定ではない。先のオスヴァルトの「賢き方にミンネザングが気に入られる」という言葉にも表れているように、美はある種の宗教的叡智によって肯定されるべきなのである。

愛には習いがある。それを捨ててくれれば、もっと愛らしいのだが！　苦しめてはいけない人を、それを使ってたくさん苦しめている。それがどんなものかだって？　四〇歳より二四歳がお気に入りということだ。ごましお頭を見るやいなや、とたんにご機嫌ななめになる。〔……〕愛は愚者とのつきあいに慣れて、子どものように跳ね回っている。分別はどこに置いてきたのか？　馬鹿な頭で何を考えているのか？　まったく目が見えていない。馬鹿騒ぎをやめれば、ちょっとは知恵ある女性に見えるものを！　そこら中に頭をぶつけて、何とも憐れな有様だ。悪く思わないでもらいたいが、愛がはしゃぎ回っている間、わたしはじっと座っていることにした。ずっと高く跳ぶあの方のように、心は高いのだから。まだこのうえ望みがあるのか？　そんな風でなかったら、精一杯仕えてやるものを。彼女は、六日間がどこにいるか探し回っているが、わたしから手にいれられるのは、一週間のうちの七日目だけだ。［Des Minnegans Frühling 57, 23］

老詩人は、若さばかり追いかけるミンネを叱りながら、「知恵ある」(bescheiden) 女であることを要求している。愛と知の新しい融合体は、舞踏会で子どものように飛び跳ねるのではなく、高き心の跳躍であり、これは逆説的に座して動じないことによって達成される。「高く跳ぶあの方」は旧約聖書の『雅歌』に描かれた恋人を思い出させる。

恋しい人の声が聞こえます。/山を越え、丘を跳んでやって来ます。/恋しい人はかもしかのよう/若い雄鹿のようです。〔『雅歌』二:八〕

この恋人を追いかけるためには、魂は耳を澄まさなければならない。「高く跳ぶ方」が神的な存在であることは、それに続く創世記の比喩からも明らかである。詩人は休みなく働いた神にではなく、七日目に休息した神のように、愛の激しい営みから一歩身を引いてみせる。七日目の休息は人生の終わりを意味してもいるが、同時に完成の象徴でもあるのだ。

4 神秘家たちの四〇歳

ドイツ精神史には「神秘思想」というジャンルがある。これは個人が神秘的体験を通して、神の奥義に接し、それを言語化して啓示として伝達するという宗教形態である［パリンダー、三四頁以下］。その神秘的体験の内容はさまざまで、苦行の中で自己放棄を徹底し神の恩寵に与るものや、恍惚感の中で神と合一し、神となる（theosis）ものや、トランス状態の中で神を見る（vision）ものであるが、キリスト教神秘思想においてさらに重要なのは、その言語化の過程である。多くの神秘家は本来「語り得ない」体験を語ろうとし、そのための修辞的言語や思弁言語、隠喩や雄弁術を探し求めた。

禅仏教でいう「開悟」（悟り）も、キリスト教でいう「照明」（Erleuchtung/ enlightment）も宗教者が神秘の扉をくぐる第一の関門であるが、その瞬間は長い試練と懊悩の後、予告もなく、突然、価値の逆転として訪れる。旧約聖書では、モーセやヨナといった予言者が、新約聖書ではマタイ、ペテロ、パウロが神的照明を受けて新しい生を得る。照明とは長い混迷の暗闇に差し込む一条の光なのである。

先にユダヤ・キリスト教における四〇の象徴的意味を見たが、神秘家たちにとっても四〇番目の年は、重要なのである。

ハインリヒ・ゾイゼは一二九五年にボーデン湖畔のユーバーリンゲンに生まれた。一三歳でドミニコ会に入会し、一三二〇年頃シュトラースブルクに出て、ドイツ神秘思想の巨星マイスター・エックハルトの薫陶を受ける。しかし、生涯師と仰いだエックハルトが一三二九年異端断罪を受けると、『真理の書』で師を弁護する論戦を張り、それがドミニコ会本部の目に止まり、マーストリヒトやハーグで開かれた総会や管区総会に召喚され、取り調べを受けた。多くの神秘家が自己自身については寡黙なのに対して、ゾイゼは雄弁に自分の人生について詳細に語り、自伝『ゾイゼの生涯』を記した。一三歳でドミニコ会に入会したゾイゼはシモニア（聖職売買）の罪を犯したのではないかという自責の念にさいなまれ、憂鬱な青春期を過ごすが、五年ほどたった一八歳の時、「突然の回心」（der geswinde ker）を体験する。この照明体験は彼を「永遠の知恵」、すなわちイエス・キリストの僕（しもべ）にしたが、同時に彼を「騎士的」な勇敢さをもって苦行に堪える修行僧にする。

あらゆる他の修練に先立って、彼の心に、十字架にかけられた主の苦悶に満ちた受難を、心を深く込めて共に苦しむ印を何か、自分の身体に着けていたいという強い願いが突然浮かびました。そこで彼は、自分で木の十字架を作りました。それは人が親指と小指を張り広げた長さで、またそれに相応する幅でしたが、そこへ彼は、主が受けたすべての傷と五つの愛の傷跡への特別な思いを込めて、鉄の釘三十本を打ち込みました［ゾイゼ、四七頁］。この釘の十字架を彼はイエスと苦しみを共にするために、起きている時も就寝中も地肌に背負い続け、それどころか世俗のものに心が動かされると、戒めに拳でそれを打って肉により深くくいこませた。激痛の中で彼は、鞭打ちの刑に処されるイエスの姿をまざまざと見る。寝台を板張りにし僧衣のまま寝たので、寝返りを打つこともできず、両足に潰瘍ができ、脛は腫れあがり、膝は血まみれになった。冬も極寒の部屋で生活し、風呂にも入らず、一日一食をつらぬいた［ゾイゼ、五二頁］。一三三五年、こうした生活を実に二二年続けた彼に第二の回心が訪れる。四〇歳となったゾイゼは、いままでの苦行がすべて「信仰の第一歩」に過ぎずなかったことを知る。

しもべが［……］彼の人間的性のすべてが損なわれ、もはや残されたものは、死か、こうした修練を止めるか、だけになった時、彼は、この苦行を放棄しました。そして、神は、こうした厳しさや、彼が採った方法はすべて、信仰の第一歩に過ぎず、彼の中の御し難い人間を突き破っただけであることを彼に示し、さらに、彼が受けるのが当然であるというのなら、別の仕方で今後いっそう酷しい試練を受けなければならない、と付け加えました。［ゾイゼ、六〇頁］。

ゾイゼは修道院を出て遍歴の司牧となり、ライン川沿岸をスイスからオランダまで、説教師として旅して、民衆教化に努める。この旅の途上、彼はさまざまな世俗のトラブルに巻きこまれ、人間の欲望と悪意に悩まされる。それは第二の試練であったが、それが記念すべき四〇歳の年に始まったことは興味深い。それは宗教的境位の到達点とはほど遠いものであったが、彼を真の知恵の僕にするための重要な転換だったのである。その生活を約三〇年続けた後、一三六六年彼は没する。

ゾイゼが苦行の只中にいた時、同じシュトラースブルクで豪商ルールマン・メルスヴィンはなにひとつ不自由のない生活をしていた。一三〇七年に裕福な貴族の家に生まれた彼はしかし一三四七年、四〇歳になった時、突然家業を捨て友人との交友も絶って、禁欲生活に入る決心をする。それは「神の友」と呼ばれる、シュトラースブルクを中心に活動していた宗教団体との出会いが大きな動機となった。しかしこの決心は容易ではなく、彼の心は世俗と禁欲の間を揺れ動く。一〇週間経ったある日の夕方、彼は庭を一人で散歩していた時、神秘的な体験をする。

歩いていると次々に多くの考えが浮かんできて、この世は災いの地であって不誠実と虚偽に満ち溢れ、いかに苦しみながら痛ましい最期を迎えるかということが重苦しく脳裏に描かれた。またふと気がつくと、私は、神が私のためになして下さった偉大な業について思いを馳せていた。そして、重い苦しみを受けて痛ましい死に臨まれた神［イエス］が哀れな罪人である私に偉大な愛を向けて下さった、その愛について考えていた。［メルスヴィン、七〇一頁以下］。

彼はこうした思いに耽りつつ庭を歩いていたが、やがて空を見上げ、誠心誠意、心から深く懺悔して神の限りなき慈悲を呼び求める。すると突然、一条の光が彼に降り注ぎ、彼を包んで、庭中を縦横無尽に飛び回った。その間彼は「甘美な言葉」を耳にするが、それが何かは人間の知恵を越えているので理解できなかった。

こうした喜びに満ちた一時が過ぎ去り、再びわれに返ってみると、私はたった一人で庭に立っていた。あたりを見回したが、もはや誰も、何も見えなかった。ただ一つはっきりわかったのは、目からとめどなく涙が流れ出てきてどうしようもないということであった。そして、まさにこの甘美な涙の水から私は大いなる力を受け取り、喜びで胸が一杯になったのだ。ことのなりゆきをじかに見、その意味するところを悟ると、神が私のような卑しき罪人、ちっぽけな被造物のために、その新たなる始まりに際して瞬くまにあれほど偉大で神秘的な業をなして下さったこと、そのことに対する深い驚きに心を奪われた。いまや私は、そうした大いなる喜びが自分のうちにあるのをひしひしと感じていた。〔メルスヴィン、七〇三頁〕

メルスヴィンのこの喜びは、罪深い自分への憎悪となって、これ以降厳しい苦行を自分に課すようになる。それがあまりに激しかったのでほとんど彼は死ぬほどであった。それはゾイゼ同様、神に倣って十字架を背負い、同じ苦難の道を歩みたいという希望であった。彼の著作『新たなる人生の始まりの四年』は四年にわたる彼の宗教的苦闘の記録である。ゾイゼ同様、四〇年目の照明体験は彼を完成ではなく、むしろ迷いの中に突き落とし、その後も彼は神の慈悲と、自らの罪深さの中で踏み惑いながら生きる。そして四年目の年にメルスヴィンは、最初の神秘的体験が彼を苦行で殺すためのものではなく、生かすためのものであることを知る。

そして、私がとどまっていなければならないこの世においては、謙虚に、質素にそこでの時を過ごし、『神がお前に対し密かに働きかけて下さったこと、〔これから〕働きかけて下さることは人には感じ取られることができないのだ』という感謝すべき考えに従って暮らし、歩を進めていかねばならない。〔メルスヴィン、七二一頁〕。

静かに背負う十字架こそ、本当の意味での神への感謝であることを神秘家は悟ったのである。

おわりに――生きる時間と世界の時間

ストア哲学が理想とする永遠の知と接続できる老賢者は氏族的叡智の象徴であり、それは歴史を動かす原動力でもあった。しかし、叙事詩という民族的なジャンルが読者に無条件で受入られていた時代がやがて過ぎ、人が個人としての「生」を反省する時代が中世末期に到来すると、老いて、行く末踏み惑う元若者を描く「晩年のスタイル」が登場する。それは不安のスタイルでもある。人は不安に駆られて未来に確かさを見ようとするが、そのための指針をあたえるのは言うまでもなく聖書に書かれた「数のシンボリズム」(Zahlensymbolik)である。もちろん中世人が老年を意識するきっかけは、肉体の衰え、親近者の死など外的要因によるものだが、晩年、すなわち人生のゴールに近づいているという自覚は、神の時間を表わす神秘的な数字の象徴性に同調することによって生まれる。メメント・モリ「死を想え」(memento mori)はメメント・テンポリ「時を想え」(memento tempoli)に質的に引き上げられることで、再び全体的集合的なものに接合する。ハンス・ブルーメンベルクはこのことを、世界時間(Weltzeit)と生きる時間（Lebenszeit）の統合と名づけた［Blumenberg, 91f.］。それは中世の歌人たちにとって、生きた時間の中で自己の活動を芸術の永遠のもとへと昇華することだったが、同時に神秘家たちにとっては生を永遠の時間へと昇華するものであった。

参考文献

井村君江『ケルト・ファンタジィ――英雄の恋』新書館、一九九五年。

岸谷敞子他（訳）『ミンネザング』大学書林、二〇〇一年。

厚生労働省「健康日本21」。http://www1.mhlw.go.jp/topics/kenko21_11/s0.html#A6　二〇一九年七月二二日現在。

香田芳樹『マイスター・エックハルト――生涯と著作』創文社、二〇一一年。

香田芳樹『特集への導入』、『ドイツ文学』（日本独文学会編）第一五四号（二〇一六）収録、一―一七頁。

佐藤靖彦『ロシア英雄叙事詩の世界　ブィリーナを楽しむ』新読書社、二〇〇一年、二六三―二七八頁。

高津春久（訳）『ミンネザング（中世叙情詩集）』郁文堂、一九七八年。

筒井康隆（訳）『イリヤ・ムウロメツ』（手塚治虫画）講談社、一九八五年、八六―九六頁。

キケロー『老年について』中務哲郎訳、岩波書店、二〇一五年。

ゾイゼ、ハインリヒ『ゾイゼの生涯』神谷完訳、創文社、一九九一年。

タキトゥス『ゲルマニア』泉井久之助訳、岩波書店、一九七九年。

パリンダー、ジェフリー『神秘主義』中川正生訳、講談社、二〇〇一年。

フェルドゥスイー『王書』岡田恵美子訳、岩波書店、一九九九年。

メルスヴィン、ルールマン『新たなる人生の始まりの四年』岡裕人訳、『中世思想原典集成』第一六巻、平凡社、二〇〇一年、六九七―七二四頁。

レッシング『賢人ナータン』篠田英雄訳、岩波書店、二〇〇六年。

Blumenberg, Hans: Lebenszeit und Weltzeit. Frankfurt a.M. 1986.
Comenius, Johann Amos: Pampaedia. Dmitrij Tschižewski (ed.), Heidelberg 1965.
Des Minnesangs Frühling: nach Karl Lachmann, Moriz Haupt und Friedrich Vogt / neu bearbeitet von Carl von Kraus, Stuttgart 1962.
Isidori Hispalensis Episcopi Etymologiarum sive Originum, W. M. Lindsay (ed.), tomus 1, V, XXXVIII, 5, Oxford 1911.
Lessing, Gotthold Ephraim: Die Erziehung des Menschengeschlechts, in: Werke und Briefe in zwölf Bänden, Bd. 10, Frankfurt a. M. 2001, S. 73-99.
Oswald von Wolkenstein: Die Lieder. Übertragen von Klaus J. Schönmetzler. München 1979.
Rüegg, W.: Art. Cicero in Mittelalter und Humanismus. In: Lexikon des Mittelalters.
Walther von der Vogelweide, Gedichte. Übertragung von Karl Simrock. Frankfurt a.m. 1987.

第2章

若返りと老いの物語
――ヨーハン・ヴォルフガング・ゲーテの『五〇歳の男』

山本賀代

1　ゲーテの晩年の創作スタイル

エドワード・W・サイードは彼の絶筆となったエッセイ『晩年のスタイル』（二〇〇六年）で、偉大な芸術家たちにおいて「人生の最後の一時期に、彼らの仕事と思索が、いかにして新しい表現形式を獲得したのか」〔サイード、二七頁〕という問題提起を行なった。彼の関心をひいたのは、一般に老年に期待されるような、和解や達成感にあふれた成熟さではなく、「不調和、不穏なまでの緊張」、「逆らい続ける、ある種の意図的に非生産的な生産性」〔サイード、二八―二九頁〕をみなぎらせた、カタストロフィ的な芸術家たちの晩年やその作品であった。テオドール・W・

アドルノのベートーヴェン論をひき継いだサイードは、この作曲家の晩年のスタイルの特徴を否定性、断片的性格、失われた全体性といったキーワードで照らしだし、その内的緊張関係に、老化した芸術とは異なる価値ある晩年性を見いだした。アドルノのベートーヴェン論には、ヨーハン・ヴォルフガング・ゲーテ（一七四九―一八三二年）の名前も登場するが、サイードはゲーテにはまったく言及していない。しかし、サイードが晩年のベートーヴェンに与えたキーワードは、晩年のゲーテと決して無縁ではないように思われる。

ゲーテの晩年の創作活動にとって重要な特徴のひとつである「自伝的作品」への傾向を例に挙げてみよう。度重なる作品集・全集刊行への執着にも端的にあらわれるとおり、ゲーテははやくから、自己および自身の創作活動の全体性・統一性を読者に示したいという強い希望を抱いていた。最初の自伝計画は五〇歳目前に生まれ、六〇歳になった一八〇九年、ゲーテは自分の全生涯を記述するという壮大な自伝プロジェクトにとりかかった。『わが生涯から――詩と真実』（一八一一―一八三三年、以下『詩と真実』）に代表される一連の自伝的著作「わが生涯から」シリーズの始まりである。ゲーテは自分自身のことを、同時に多方面への関心をもつためにその活動や創作に断片的な印象が生まれ、首尾一貫性が見わたしがたい人間であると案じていた。この不安を克服し、「著者と読者」、「私と世界」の溝を埋めることが彼の自伝の重要な課題だったといえるだろう。しかし、この計画はやがて頓挫してしまう。その挫折から、自己の一貫性という幻想を自ら破壊するような、「わが生涯から」シリーズとはまったく別種の奇妙な自伝『私のその他の告白の補足としての年代記』（一八三〇年、以下『年代記』）が誕生した。『詩と真実』に比べてあまり知られていないこの『年代記』には、一七四九年の誕生から一八二二年までの七三年間のゲーテの活動記録が記されており、研究者たちはこれをもっぱらゲーテの伝記的資料として利用してきた。『詩と真実』で丁寧に描きこまれた二六年間が最初の数ページに短縮された冒頭部分は、「高められた真実」を自らの手で再び解体する老ゲーテの破壊的行為であり、「読者との和解」や「自己の一貫性」が幻想に過ぎないことを痛感した詩人が、自ら粉々にした小さな自画像の残骸といえるだろう。

しかしゲーテの晩年はこのカタストロフィ的創作では終わらず、むしろここから始まったといえる。『年代記』に利用する膨大な資料を整理するために、一八二二年の夏、ゲーテは専門の書記フリードリヒ・テオドール・ダーフィト・クロイターを雇い、これまでの自分のあらゆる書類を整理、保管させ、目録まで作成させた。ゲーテ・アルヒーフの誕生である。それは当時、彼の仕事部屋の一角に誕生した小さな書類棚に過ぎなかったが、以後、ゲーテの創作活動はこのアルヒーフに分類して保管された資料をもとに進められ、晩年の創作スタイルに決定的な影響を与えた。

ひとりの主人公の成長物語ではなく、多数の人間たちの断片的な物語のゆるい複合体として編纂されていくアルヒーフ小説『ヴィルヘルム・マイスターの遍歴時代』（初稿一八二一年、決定稿一八二九年、以下『遍歴時代』）は、まさに晩年のゲーテの創作スタイルそのものを物語っている。三〇年以上の成立史をもつこの小説は、長らく、もうろくして構成力を失った文豪の「老年のスタイル」という不本意なレッテルを貼られてきたが、二〇世紀後半以降、ようやくその集合的な作品構造に関心が向けられるようになった。この小説の語り手は、ゲーテのように、アルヒーフに保管された物語、報告、手紙、日記等のさまざまな資料を編集することで、一編の小説を書きつづけている。小説のなかで「永遠に活動的な生命」［MA 17, 539／ゲーテ、八巻二六六頁］の空間として描かれるマカーリエのアルヒーフは、ゲーテの仕事部屋そのものなのである。この仕事部屋で、ゲーテはひとり孤独に執筆するのではなく、若いヨーハン・ペーター・エッカーマンに語り、フリードリヒ・ヴィルヘルム・リーマーに助言を仰ぎ、書記ヨーハン・アウグスト・フリードリヒ・ヨーンたちに口述筆記させた。一八二二年夏以降のゲーテの執筆スタイルは、個人の創作を超え、いわば「ゲーテ工房」における協働作業と呼ぶべきものとなった。

こうして完成した作品は、しばしば長い中断をはさみ、編集そして協働作業を経ているため、作品の統一性や全体性という幻想にこだわりすぎるわけにはいかない。一方で、アルヒーフに整然と残された多数の遺稿や創作メモは、ゲーテ個人の発展的記録、つまり詩人の老いの記録を再構成できるのではないかと私たちを誘惑する。しかも、若い頃の原稿や自分が集めた書類と向きあうことは、自身の老いを見つめることでもあり、若い仲間との協働作業は老いた者の役割を自覚させるものだったに違いない。本章では、以下、『遍歴時代』のなかに埋めこまれたノヴェレ『五〇歳の男』を老いゆくゲーテがどのように書きすすめていったのかを追跡しながら、主人公が老いと向きあう一年間を描くこの小さな物語を読みなおしてみたい。このノヴェレも、ゲーテのアルヒーフで休らいながら、完成までに二五年もの時間を要している。

２　『五〇歳の男』に描かれた老い

●物語の概要

この短編小説は、作者の生前に三通りの形で公表されている。以下の概要は、最終段階の『遍歴時代』決定稿（一八二九年）の第二巻三章、四章、五章に対応している。

五〇歳の少佐は妹である男爵夫人とともに、姪ヒラーリエと息子フラーヴィオの結婚の準備を進めていた。しかしヒラーリエが息子ではなく自分自身に好意をもっていることを知り、彼の心はにわかに浮きたちはじめる。季節はちょうど春のことである。「多くの老木が再び葉を茂らせるのを目にした少佐は、自分にもまた春がめぐってくると信じることができた」［MA 17, 400／ゲーテ、八巻一四五頁］。おりしも一〇歳年上の俳優である友人が昔と変わらぬ若々しい姿で現れると、五〇歳の男に「もう一度若返りたい」という欲望が大きくなる。化粧箱を携帯する友人に頼みこみ「若返りの術の弟子」［MA 17, 407／ゲーテ、八巻一五一頁］となった少佐は、たちまちヒラーリエとの結婚を決意する。一方、息子フラーヴィオも年上の美しい未亡人に夢中になっていた。彼は父の新たな計画に満足し、恋する未亡人に父を引きあわせる。父はまもなく息子から彼の恋が実ったとの報告を受け、親子はそれぞれ年齢の不釣りあいな結婚に向けて準備を進めることになる（ここまで第二巻三章）。

その後、少佐は家族の遺産をめぐる問題を解決するために旅だち、夏のあいだ、多忙な生活を送る。空いた時間に、未亡人との約束を果たすため、若い頃に書いた自作の詩を探しだし、これを彼女に送り届ける。忙しさのため身体的な消耗を感じながらも、将来の結婚への喜びに浸っている。一方で男爵夫人の屋敷では、ヒラーリエが結婚の準備をしながら少佐の帰りを待っている。季節は冬に向かう（ここまで第二巻四章）。

屋敷に突然、恐ろしい血相のフラーヴィオが到着する。美しい未亡人に翻弄された末、結局は拒絶されたのである。情熱的な男は絶望してしばらく悶え苦しむが、ヒラーリエとの詩のやりとりを通じてやがて心を落ちつけていく。さらに自然災害のあとの活動的生活が、若いふたりの心を強く結びつけていった。そこに父親が到着し、家族は困惑に包まれる。状況を察した五〇歳の男は、「初恋の男から優しい父親へ」［MA 17, 446／ゲーテ、八巻一八四頁］の役割交代にやりきれなさを感じつつも、これを受けいれ——ここで少佐が自身の老いを自覚する過程については後で詳しく考察する——、若いふたりの結婚計画に立ちもどる決意をする。ところがヒラーリエが頑なにこれを拒み、家族の計画は停滞したままに季節は再び春を迎える。そこに改心した美しい未亡人が現れ、物語は唐突に終わってしまう（ここまで第二巻五章）。

さらに小説全体に目を向けると、この後、第二巻七章で、ヒラーリエと美しい未亡人はともにイタリアを旅し、ミニヨンの故郷であるマジョーレ湖で、ヴィルヘルムおよびある若い芸術家と交流する。そして小説の終わり（第三巻一四章）では、フラーヴィオとヒラーリエ、少佐と美しい未亡人という年齢の釣りあった者同士が夫婦となっていることが報告される。

●物語の成立史

次に、公表された三通りのヴァージョンにしたがって成立史を確認する。

（1）一八一八年版「婦人年鑑」（一八一七年出版）に単独発表

始まりは一八〇三年一〇月五日の日記で、五四歳のゲーテは「朝、五〇歳の男のことをずっと考えていた」[FA 32, 397] と記している。しかし一八〇七年、夏の数か月のあいだ書きすすめられた後、そのまま放置されてしまう。その後一八一七年、コッタから出版されていた一八一八年版「婦人年鑑」に公表されるが、それは決定稿の第二巻三章の部分のみで、年齢の不釣りあいな二組が誕生するところで終わっている。つまりこのノヴェレは当初、五〇歳の男の「若返りの物語」だったのである。この時点でゲーテがその後の展開をどこまで考えていたのかは断定できない。ただ五〇歳の男の結婚物語という着想は、ヴァイマルでも何度も上演されたアウグスト・フォン・コツェブーの喜劇『四〇歳の男』（一七九四年）から得たと推測され（成立年に議論が残るが、戯曲ヴァージョンの創作メモも存在する［WA 29, 244f. 補遺 XL］）、この喜劇では、若い娘の後見人である四〇歳の主人公が、取り違いのドタバタの末、若いライヴァルを差しおいて娘の結婚相手におさまり幕を閉じる。主人公の年齢を五〇歳に変更することで、ゲーテが主人公と若い娘の結婚へのハードルを引きあげたことは明白である。『ドイツ避難民閑談集』（一七九五年）には、五〇歳になった商人が「人生の夕暮れ」である「老人」［MA 4-1, 479／ゲーテ、六巻三九七頁］になる前に慌てて若い娘と結婚する物語（フランスの短編小説集からのゲーテによる翻案）があり、五〇歳という年齢は、老いの入り口として、人生の分岐点とみなされていたのだろう。一七八八年から一七九〇年に成立した「魔女の厨」で、三〇歳若返りたいと願った老ファウストも、五〇歳頃の男として想定されていたのかもしれない。

（2）『遍歴時代』初稿（一八二一年）

「婦人年鑑」に公表された「若返りの物語」は、一八二一年、『遍歴時代』初稿にそのまま組みこまれた。ノヴェレ部分に変更はないが、枠の小説部分との関連で、次のふたつの要素が新たにつけ加わる。ひとつめとして、物語はヘルジーリエからヴィルヘルム宛ての手紙に同封される。これはさらに決定稿で、後述するヘルジーリエの役割の変容に対応して変更され、物語は『遍歴時代』の編集者によって導入されることになる。ふたつめとして、ヴィルヘルムがノヴェレを読んだ後、マジョーレ湖のシーンが続く。このシーンは決定稿でも変更はないが、初稿ではノヴェレの後半部分（決定稿の第二巻四、五章）がまだ存在しないので、四人の関係がどのように進展したのか不明のまま、ヴィルヘルムはふたりの女性と出会うことになる。彼女たちを語り手が「諦念の人々」と呼ぶことから、読者には彼らの恋愛が成就していないことがほのめかされる。また語り手は、ヴィルヘルムが未亡人から事情を聴き、四人の物語の続きがいずれ紹介されるはずだと予告している。実際に初稿は『遍歴時代』の第一部として発表されており、刊行当初からゲーテはこの小説の続編を想定していた。『五〇歳の男』のその後の大筋もほぼ決まっていた。このことを伝えてくれるのが、後ほど扱う、初稿出版直前の一八二〇年一一月に書かれた構想メモである。

（3）『遍歴時代』決定稿（一八二九年）

しかし初稿に対する読者の反応が悪かったため、ゲーテは続編の執筆を中断してしまう。再開は一八二五年六月で、『五〇歳の男』の部分は一八二六年一〇月から翌年一八二七年三月に集中的に作業された。最終的な物語の概要は先に紹介したとおりで、この段階で初めてこのノヴェレは「老いの物語」となった。

以上をふまえ、ノヴェレの後半部「老いの物語」の成立プロセスに焦点をしぼって考察を続ける。ヴァイマル版ゲーテ全集に収められた『五〇歳の男』のための個別シェーマとメモは、次のような三段階に分けることができる。

●「老いの物語」の成立

(1) 第一段階

一八二〇年一一月一三日のシェーマとこれをひき継いだ執筆再開直後、一八二六年一〇月二二日の最初のシェーマ［WA 29, 229ff. ヴァイマル版ではふたつは並列されて補遺XXXI］。一八二〇年の構想段階で、すでにヒラーリエの気持ちが父から息子に移行することや、若返り美容に関するオチが念頭にあったことはわかるが、主人公が老いを自覚し、受けいれていくプロセスについて詳しいメモはまだない。

(2) 第二段階

一八二六年一〇月二三日から二九日に作業されたシェーマ［WA 29, 231f. 補遺XXXII］とこれをもとにした追加・修正メモ［WA 29, 233ff. 補遺XXXIII］。この段階では未亡人に関する要素が増えるが、少佐の老いについてはまだ手つかずのままである。

(3) 第三段階

一八二七年三月二二日のシェーマ［WA 29, 235ff. 補遺 XXXIV］とこれをもとにした五回にわたる追加・修正メモ［WA 29, 239ff. 補遺 XXXV-XXXIX］。三月二二日のシェーマで四章がほぼ確定し、五つの追加メモはすべて五章に関連している。この最後の段階で、ゲーテは老いを受けいれる主人公の心情を大幅に追加したことがわかる。

では、最終段階で主人公の老いがどのように肉づけされたのか、具体的な要素を二点取りだしてみよう。

●詩を読みかえす五〇歳の男

三月二二日のシェーマで初めて、未亡人のもとでの文学談義、未亡人に若い頃の自作の詩を送るという少佐の約束、そしてホラーティウスの詩に関するメモが加わった。

少佐は未亡人への約束を覚えていて、自分の詩を探しだす。その際に過去を考察。ホラーティウスを特に好む。彼の詩の何編かからの抜粋、それは若さを惜しむものである。［WA 29, 237. 補遺 XXXIV］

決定稿で対応するのは以下の箇所である。

仕事の合間に時間ができると、彼〔少佐〕は所領に急いだ。美しい未亡人への約束を忘れることなく思いだし、きちんと整理して保管されていた自分の詩を探しだした。一緒に、古今の作家を読んだときの抜粋を含んだ記念帳も見つかった。彼はホラーティウスやローマの詩人たちが特に好きだったので、ほとんどそれらのものであった。抜粋した箇所は大部分が過ぎさった時代や失われた状況や感情を惜しむ気持ちをほのめかしていることに気がついた。〔MA 17, 426f.／ゲーテ、八巻一六七頁〕

ここで実際に、若さと老いを対比したホラーティウスの詩句（『歌章』四巻十歌の一部）が、ラテン語の原詩とドイツ語訳で挿入される。元の詩は、年とった詩人が愛する少年の若々しさを賛嘆しつつ、少年もいずれ年をとり老いた姿を嘆くときがくると少々意地悪く歌ったものである。しかしここでは嘆きの言葉だけが切りとられ、老いた者が失われた若さを嘆く内容として、少佐の現在の気分を代弁する詩句へとずらされている。

少佐が未亡人に送る約束をした自作「狩猟の詩」からも、五〇歳の男は同様の体験をする。

狩猟という人生の楽しみを描いた若い頃の詩作にもかかわらず、五〇歳の少佐はそこに「人生の喜びからの別離」、「楽しみのあとの一種の虚しさ」、つまり若い頃には思いもよらなかった「老い」という「哀歌的主題」［MA 17, 429／ゲーテ、八巻一六九頁］を感じとるのである。

歳月というものは、はじめのうちは美しい贈り物を次々と運んできてくれるが、その後しだいにそれをまた奪いとっていくものだということを、彼は今、自分が立っている分岐点において、急に痛感したようであった。［MA 17, 429／ゲーテ、八巻一六九頁］

自身のアルヒーフから昔の原稿を読みかえすとき、ゲーテ自身もこのような体験をしたのではないだろうか。

●若返り美容術の結末

若返り美容術の結末を表していると思われるメモは、一八二〇年一一月一三日のシェーマでは「若返りの主要な策の発見」［WA 29, 231. 補遺 XXXI］、一八二六年一〇月二二日のシェーマでは「若さ維持の秘密」［WA 29, 231. 補遺 XXXI］、一八二六年一〇月二三日から二九日のシェーマでは「最後の美容法の手段／朗らかな暴露」［WA 29, 232. 補遺 XXXII］、一八二七年三月二二日のシェーマでは「友人が謎めいた皮肉な話を始める／話は老年における節制に向かう／世間に通じた者による朗らかな秘密の暴露」〔WA 29, 239. 補遺 XXXIV〕と詳しくなっている。しかし最終的に俳優が再登場する場面は描かれず、結婚計画を聞きつけた俳優が少佐に忠告の手紙を送ってくる、というエピソードに落ちついた。長い不在ののちに帰宅した少佐は、留守中に届いていた手紙や荷物のなかに、この友人からの手紙を発見する。

彼〔俳優〕は、この件について彼流に論じ、それなりの年齢に達した男性にとってもっとも確実な美容術は、女性を遠ざけ、賞賛すべき快適な自由を享受することだと注意していた。少佐は微笑しつつその手紙を妹に示し、おどけながらも、その内容の重要さを真剣に指摘した。〔MA 17, 447f.／ゲーテ、八巻一八五頁〕

つまり、表現は少しずつ異なるが、若さの秘訣についての俳優の最後の教えは、一八二〇年にすでに計画されていたと推測できる。さらに、この着想はもっと古い構想段階から存在していた可能性も高い。というのも、やはり『遍歴時代』に挿入するノヴェレとして書きはじめられ、構想が広がり単独で出版された『親和力』（一八〇九年）のなかのオティーリエの日記の次の箇所と、明白な対をなしているからである。

いつまで若い娘たちを追いかけているのか、とある老人が責められた。そこで老人は答えた。「これが若返るための唯一の方法で、誰だって若返りたいと思っている」。〔MA 9, 426／ゲーテ、六巻二三七―二三八頁〕

それに対して「女性を避け」節制するという俳優の忠告は、ゲーテの主治医でもあった医学者クリストフ・ヴィルヘルム・フーフェラントのベストセラー『長寿学〔*Die Kunst, das menschliche Leben zu verlängern*〕』（一七九八年）で推奨される中庸生活に近い。もっとも、自然な中庸状態を守ることで生命力の消費を減退すべきであると説いたフーフェラントは、婚姻状態を中庸生活にとって有効な手段とみなし、老人の結婚にも肯定的である。しかし「若い娘たちを追いかける」行為となれば、理性によって抑制されるべき本能や激しい感情に分類されるものだろう。ちなみに少佐が受けた美容レッスンは、いわゆる「化粧術」ではなく身体の衛生と健康をめざす「美容術」であり、これもフーフェラントに由来すると考えられる。魔女の秘薬に不満を漏らすファウストに対しメフィストが説く田園生活での自然療法にも、『長寿学』刊行前ではあるが、その思想が垣間見られる。

いずれにしても俳優のこの助言が、一八二七年三月二二日のシェーマまでは作品全体のオチの位置づけであったようだ。しかし最終稿で少佐の決意にとって決定的な要因となるのは、このような理性的な教えではなくなっている。続きを見てみよう。俳優からの助言を余裕をもって受けとめた少佐は、さらに次のような詩句を思いつく。

夜のあいだはまだ上品に輝く遅い月も、朝日がのぼると色あせる。老いらくの恋の迷いも、情熱的な若者の前で消えうせる。冬には若々しく力強く見える唐檜も、春になれば、新緑に萌えたつ白樺のそばで、薄汚く色あせて見える。〔MA 17, 448／ゲーテ、八巻一八五頁〕

失恋して衰弱した息子フラーヴィオの場合、詩は魂の悩みを「荒々しく刺激し、呼びおこし、苦しみを溶かして発散させる」〔MA 17, 436／ゲーテ、八巻一七五頁〕治癒力をもつものとして描かれていた。詩作によって高ぶった心を落ちつけるという心理療法は、若い息子にとっては絶大な効果を発揮した。しかし五〇歳の少佐には、さらに決定的な契機が訪れる。

最後の決断をくだすための決定的な手助けとして、哲学〔＝俳優の理性的な忠告〕も詩〔＝詩作による心理療法〕もここでとりわけ賞賛するつもりはない。というのも、些細なことが極めて重大な結果をもたらすことがあるように、心が揺れうごいて、はかりがあちらこちらへと傾くとき、小さなできごとが決定をくだすことはよくあるものだ。最近、少佐の前歯が一本抜けおち、彼は二本目も失うのではないかと恐れていた。〔MA 17, 448／ゲーテ、八巻一八五頁〕

一八二七年三月二二日のシェーマに追加されたメモのひとつがこの部分に対応しており、この箇所が最後に書き加えられたことがわかる。

〔……〕夜遅くまだ品良く輝く月の比喩。しかし昇りくる太陽の前では色あせる。老いらくの恋の妄想。情熱的な若者の存在の前でこうして消え失せる。失われた前歯〔……〕〔WA 29, 244. 補遺 XXXIX〕

美容術で若返り、若い娘と結婚しようとした男がその目論見に敗れ、最後に本当の若さの秘訣は「女性を避けることであった」と明かされる——そんな喜劇的な展開が五〇代のゲーテの最初の構想だったのだろう。しかし八〇歳を目前にしたゲーテは、主人公に三重にも老いをつきつけ、自覚の契機を描きこむ。理性的に、心情的に、そして最後に身体的に。前歯が抜けるという印象的なオチは、ゲーテ自身の口腔事情をふまえての詩人の軽いユーモア、イロニーとして読まれてきたが、身体的老いを受けいれ淡々とした境地に達するまでに、少佐は一年どころか、ゲーテとともに二五年の年月を重ねていたのである。

3　再び「若返りの物語」へ

このように「若返りの物語」から「老いの物語」へとゆっくり発展した『五〇歳の男』であるが、決定稿では、最初期に書かれたノヴェレの前半部「若返りの物語」（第二巻三章）にも重要な追加エピソードが見いだされる。『五〇歳の男』に直接関係する個別シェーマやメモには形跡がないので、枠の小説部分との関係で生じたものと考えられる。追加されたのは、美しい未亡人が取り巻きに囲まれて、「ペネロペのためらいを思わせるような作品」［MA 17, 415／ゲーテ、八巻一五八頁］と称される手の込んだ大きな紙入れを製作している場面で、ふたつの重要な役割がある。

ひとつには、未亡人はこの紙入れを少佐に託し、彼の自作の詩を送り届けてくれるようにと約束を取りつける。その結果、すでに考察したとおり、主人公が過去を省察するエピソードが追加され、若い頃には予想だにしなかった老いのテーマへの気づきの場面が導入される。

ふたつめの役割は、ノヴェレを超えて、枠の小説部分との対応関係において明らかになる。

決定稿の枠の小説部分（第二巻一〇章）には、ヘルジーリエが紙入れを製作し、父ヴィルヘルムと息子フェーリクスのどちらに贈るべきか悩むシーンがある。ヘルジーリエはヴィルヘルムに次のように書いている。

> 私は高い菩提樹の木の下に座り、ちょうど小さな紙入れを仕上げたところです。とてもかわいい紙入れなのですが、どなたにさしあげればよいのか、お父さんの方か息子さんの方か、自分にもはっきりしないのです。［MA 17, 495／ゲーテ、八巻二二五頁］

フェーリクスは『遍歴時代』初稿ではまだ幼い少年のイメージを残していたが、決定稿では中年のヘルジーリエに恋をする青年として描かれ、父ヴィルヘルム、息子フェーリクス、ヘルジーリエの微妙な三角関係が、小説の随所に散りばめられている。『ヴィルヘルム・マイスターの修業時代』（一七九五―一七九六年）の父王の後妻に恋をする「病める王子」以来の、父息子のライヴァル関係の再登場である。

この新しい人間関係の導入とともに、やはり父息子の三角関係を扱うノヴェレ『気のふれたさすらい女』の扱い方が、初稿と決定稿で大きく変化している。この物語はフランスの物語集からのゲーテによる翻案で、初出は一八〇九年版「婦人年鑑」（一八〇八年刊行）、『遍歴時代』

初稿では、レナルドーのアルヒーフからフリードリヒがヴィルヘルムに紹介する形で挿入されていた。しかし決定稿では、ヘルジーリエが自分自身で翻訳した原稿としてヴィルヘルムに直接手渡す物語に変更され、ひとりの女性をめぐる父息子——ノヴェレに登場する父ルヴァンヌも五〇歳と設定されている——のライヴァル関係の対応が強調されている。『五〇歳の男』の紙入れのエピソードも、同様の役割を意識しての追加であったことは間違いない。

このように、世代間の葛藤のテーマはさまざまなヴァリエーションで『遍歴時代』全体に見いだされる。確かに『五〇歳の男』だけを取りあげれば、老いた父が若い息子に女を譲るという、自然法則に適合した諦念が達成されたとみなすことができる［Frenzel, 8］。しかし小説全体に目を向ければ、父、息子、女の三角関係は別の人間たちによってくり返される普遍的な人間模様である。春が来て、どこかでまた「若返りの物語」が始まるかもしれない——個人の物語を超えて、そのような円環する時間が『遍歴時代』決定稿には流れている。それは、若い頃の原稿に囲まれ、若い仲間と協働作業をする晩年のゲーテ自身が体験した時間だったに違いない。

4　ゲーテと老年学的関心

本章では、一八二二年夏のゲーテ・アルヒーフ誕生をゲーテ晩年の創作活動の重要なメルクマールとして、長い成立過程をもつ小品『五〇歳の男』を考察した。しかしゲーテの伝記作者たちは、翌年一八二三年夏の驚きに満ちたできごとに注目し、伝記的事実と五〇歳の男の運命とを重ねあわせてきた。「マリーエンバートの悲歌」の契機となった、五五歳年下のウルリーケ・フォン・レーヴェッツォーへの老いらくの恋のエピソードである。カール・アウグスト大公を通じての七三歳の詩人の求婚は、ウルリーケの母親によって拒絶される。エーミール・シュタイガーは、この最後の嵐の後、「もはや一点の暗い陰りもない老ゲーテ」に「幻滅や不安や希望」はなくなった〔シュタイガー、一〇七頁〕と、晩年の平安を確信している。典型的な調和的老人像である。しかし、このような伝記的要素と決定的な一点で結びつけられるとき、五〇歳の男とともにゲーテが老いを重ねた二五年は完全に無視されてしまう。

最近では、マルティン・ヴァルザーが小説『マリーエンバートの悲歌〔*Ein liebender Mann*〕』（二〇〇八年）で、生身の老ゲーテの恋の苦悩を描いた。ゲーテの伝記も作品も丁寧に研究したヴァルザーは、小説中で『五〇歳の男』を印象的に利用している。前歯の抜けた老ゲーテを鏡の前に立たせ、「前歯のぬけた年で若い恋人に求愛するなどはまったく品位のないことだ」〔ヴァルザー、二三頁〕と私は自作ですでに書いたではないか、と自分を責めさせる場面である。しかし本章で確認したとおり、一八二三年の夏、五〇歳の男はまだ前歯を失っていなかった。このような誤解が見逃されるほど、『遍歴時代』改稿に関してはまだ研究が遅れている。これは晩年のゲーテ作品への評価の低さだけでなく、そもそも人間の晩年全般に対する関心の薄さにも原因があったに違いない。本人も作品も変容しつづけるゲーテの長い晩年は、柴田翔が『西東詩集』時代の調和的な老年期、老年の叡智を壊す晩年期、そして死と向きあう黄昏期の諸段階に分けて分析したような、より細やかな考察が必要とされているのである。

最後に、晩年のゲーテが好んで利用した「アフォリズム」について触れておこう。ゲーテの死後、遺稿の管理を託されたエッカーマンとリーマーによって『格言と省察〔*Maximen und Reflexionen*〕』（あるいは『散文による格言詩〔*Sprüche in Prosa*〕』）というタイトルのもとに編纂されたアフォリズム集には、簡潔な形式で表明された老年に関するゲーテの見解が多数残されている。作者によって完成された作品ではない難しさもあり、ゲーテのもっとも研究されていない作品のひとつであるが、近年の老年学的関心の高まりとともに、「老年を扱う老年芸術」〔Müller-Seidel, 288; John, 29〕として今後、ますます注目されるだろう。たとえば一八二五年に書かれたアフォリズムのひとつからは、五〇歳の男の変化と重なる詩人の老年観が読みとれる。

多忙であることは避けたほうがよい、とりわけ年をとればとるほど、新しい仕事に手を出すのはやめたほうがよい、とはしばしば人生で言われることである。しかし自分にも他人にもそんなことを言っても無駄である。年をとることは、そもそも新しい仕事につくことなのだから。すべての関係は変化するもので、行動することをまったくやめてしまうか、意思と自覚をもって新しい役割を受けもつかのどちらかが求められる。〔MA 17, 761／ゲーテ、一三巻四〇六頁〕

「年をとった若者〔der bejahrte Jüngling〕」〔MA 17, 403／ゲーテ、八巻一四七頁〕と呼ばれる俳優がいつまでも同じ役柄を演じ続けるのに対して、少佐の老いは、「初恋の男から優しい父親へ」という他者との関係において新しい役割を受けもつ行動として主題化され、彼の「意思と自覚」を描ききることで「老いの物語」が成立したということができる。また、一八二一年に書かれたアフォリズム「人生の終わりを始まりに結びつけることのできる者は、最高に幸せな人間である」〔MA 17, 743／ゲーテ、一三巻三六八頁〕は、若い世代とともに自身の古い原稿と向きあう協働作業から生まれた『遍歴時代』の円環的な人生観と重なり、ゲーテにとっての「老い」と「若返り」の結びつきの深さを確信することができる。

もっとも老人と若者の関係が常に協働的に結ばれるとは限らない。『ファウスト』第二部二場「ゴシック様式の建物」（一八二七―一八二八年頃成立）での学士のセリフには、おそらく老ゲーテが実感した若者の本音が過激に採りこまれている。

確かに老年とは冷たい熱病／気まぐれな苦しみで震えがとまらぬ
三〇を越したやつは／もう死んだも同然
頃あいをみて、殴り殺すのが一番でしょうな。〔六七八五―六七八九行 MA 18-1, 175／ゲーテ、三巻二〇七頁〕

ゲーテの描いた老人像といえば、『ファウスト』第二部最終幕で一〇〇歳を超えた老ファウストが「自由な大地の上に自由な民とともに立ちたい」〔一一五八〇行 MA 18-1, 335／ゲーテ、三巻三五一頁〕と語る場面を思い浮かべるかもしれない。しかし、この場面は一八〇〇年頃にはかなりの部分が書きあげられていた。よりリアルなゲーテの老いの体験に基づいて書かれたのは、八〇歳目前に書かれた二幕なのである。やはり長く複雑な成立史をもつ『ファウスト』第二部にも、決定稿からはもはや判別のつかないゲーテの「老い」の記録が数多く見いだされるに違いない。晩年のゲーテ作品は、老詩人の「賢者の書」では片づけられない老年学的な研究対象としての面白さにあふれている。この『五〇歳の男』試論は、その小さな実例の検証のひとつにすぎないのである。

参考文献

ゲーテのテクストは以下の三種類の全集を用い、引用は［　］内に略号、巻数、頁数を示す。

Goethe, Johann Wolfgang: *Goethes Werke*. Hg. im Auftrag der Großherzogin Sophie von Sachsen. 143 Bde. Weimar 1887-1919. [=WA]

Goethe, Johann Wolfgang: *Sämtliche Werke. Briefe, Tagebücher und Gespräche.* 40 Bde. Hg. von Hendrik Birus u. a. Frankfurt am Main 1987-2013. [=FA]

Goethe, Johann Wolfgang: *Sämtliche Werke nach Epochen seines Schaffens*. Hg. von Karl Richter in Zusammenarbeit mit Herbert G. Göpfert u. a. München 1985-1998. [=MA]

なお、手軽に入手可能な潮出版社の『ゲーテ全集』全一五巻（新装普及版）の該当箇所を併記した。

Dane, Gesa: *„Die heilsame Toilette". Kosmetik und Bildung in Goethes „Der Mann von funfzig Jahren".* Göttingen 1994.

Frenzel, Elisabeth: *Der verliebte Alte*. In: Elisabeth Frenzel: *Motive der Weltliteratur.　Ein Lexikon dichtungsgeschichtlicher Längsschnitte.* 3., überarbeitete u. erweiterte Aufl. Stuttgart 1988, S. 1-11.

Jacobs, Jürgen: *Maximen und Reflexionen.* In: *Goethes Handbuch.* Bd. 3. Hg. von Bernd Witte u. a. Stuttgart u. Weimar 1997, S. 415-429.

John, Johannes: *Aphoristik und Romankunst. Eine Studie zu Goethes Romanwerk.* Rheinfelden 1987, besonders S. 121-195.

John, Johannes: *Alter.* In: *Goethes Handbuch.* Bd. 4/1. Hg. von Bernd Witte u. a. Stuttgart u. Weimar 1998, S. 28-30.

Müller-Seidel, Walter: *Goethes Maximen und Reflexionen. Denkformen und Bewußtseinskritik.* In: Walter Müller-Seidel: *Die Geschichtlichkeit der deutschen Klassik. Literatur und Denkformen um 1800.* Stuttgart 1983, S. 278-290.

石原あえか「老ゲーテと補綴術――『ヴィルヘルム・マイスターの遍歴時代』の挿話「五〇歳の男」をめぐって――」『モルフォロギア』（ゲーテ自然科学の集い）四〇号（二〇一九年）、七四―八八頁。

ヴァルザー、マルティン『マリーエンバートの悲歌』八木輝明訳、慶應義塾出版会、二〇一二年（原著二〇〇八年）。

サイード、エドワード・W『晩年のスタイル』大橋洋一訳、岩波書店、二〇〇七年（原著二〇〇六年）。

柴田翔『晩年の奇蹟――ゲーテの老年期』ノースアジア大学出版センター、二〇一二年。

シュタイガー、エーミール『ゲーテ（下）』三木正之ほか訳、人文書院、一九八二年（原著一九五九年）。

フーフェラント、C・W『長寿学――長生きするための技術』井上昌次郎訳、どうぶつ社、二〇〇五年（原著一七九八年）。

ホラーティウス『歌章』藤井昇訳、現代思潮社、一九七三年。

山本賀代「ゲーテの最後の自伝プロジェクト――『私のその他の告白の補足としての年代記』成立事情――」『ドイツ語学・文学』（慶應義塾大学日吉紀要）四八号（二〇一一年）、二八三―三〇七頁。

山本賀代「ゲーテの自伝プロジェクト「わが生涯から」――「著者と読者」の関係をめぐって――」『ドイツ語学・文学』（慶應義塾大学日吉紀要）五〇号（二〇一三年）、一―二五頁。

第3章

若者が年をとるとき
——ロマン主義以降の青年運動と「若きドイツ」の老後の生

西尾宇広

1　「若きドイツ」と「老いたドイツ」——一九世紀の世代意識

一八三五年一二月一〇日、ドイツ連邦議会でひとつの決議案が採択された。当時の「ドイツにおいて、とりわけ「若きドイツ」ないし「若き文学」という名のもとに」形成されていた「ひとつの文学的流派」にたいし、そこに属する作家たちが「キリスト教を無礼きわまりない仕方で攻撃し、現行の社会状態を貶め、あらゆる規律と倫理を破壊」〔西尾、一五三頁〕しているとして、彼らの全面的な執筆活動の禁止を宣告したこの決議は、一九世紀初頭のナポレオン戦争後に成立したウィーン体制のもとにあって、市民階級の自由主義的気運が厳しく牽制されていたいわゆる「復古時代」を典型的に映し出す事件のひとつとなった。

一八三〇年代に体制批判の立場で論陣を張っていた一部の作家たちの総称である「若きドイツ〔Junges Deutschland〕」という標語の由来は、その一翼を担った文筆家ルードルフ・ヴィーンバルク（一八〇二―一八七二年）の美学および文学にかんする講義録『美学出征』（一八三四年）だったともいわれている。その巻頭に付された「献呈の辞」から引用しよう。

> 若きドイツよ、わたしはこの講義録を、老いたドイツにではなくおまえに捧げよう。〔……〕若きドイツに向けて書くものは布告する。自分はかの老ドイツの貴族階級を承認せず、かの老ドイツの死せる学識に呪文をかけて、それをエジプトのピラミッドの墓穴へと変化させ、老ドイツのあらゆる俗物どもにたいして宣戦布告する〔……〕ものである、と。
>
> 〔Wienbarg, 3〕〔強調は原文〕

「若きドイツ」と「老いたドイツ」という印象的なコントラストによって、書き手の政治的立場を鮮明に打ち出したこの「献呈の辞」は、一八三〇年七月にパリで起きた革命を機に勢いづいた自由主義陣営が、それを押さえ込もうとする当局とのあいだで激しいつば競り合いを演じていた三〇年代初頭の状況を象徴的に再現したものとなっている。一方では、「貴族」や「学識」、「俗物」といった特定の〔否定的な〕価値を十把一からげにして、それらを「老いたドイツ」というラベルのもとに集約しつつ、他方では、それと対決する陣営を「若きドイツ」と名づけることで、ここではウィーン体制下の伝統的価値観にたいする抵抗の構えが、世代交代にともなう価値転換というレトリックで補強されながら、高らかに謳われているのである。

このテクストの修辞的な戦略として、〈老い〉と〈若さ〉をめぐる対立軸が導入されていることは偶然ではない。ヴィーンバルクとほぼ同年代の詩人ハインリヒ・ハイネ（一七九七―一八五六年）は、たとえば一八三一年の評論集『フランスの画家たち』のなかで、自分よりも年長の世代に属するヨハン・ヴォルフガング・フォン・ゲーテやロマン主義の詩人たちを含意した「芸術時代の終焉〔Ende der Kunstperiode〕」〔DHA 12/1, 47／ハイネ、二〇〇八年、六四頁〕という言葉によって、新しい世代の書き手が実践すべき新たな文学のあり方を示唆している。それは、近代ドイツ文学の古典期にあたる一八〇〇年頃に確立された〈芸術の自律性〉の理念――外界の自然ないし現実の模倣〔ミメーシス〕という古代ギリシア以来の芸術の定義にたいし、芸術そのものを〈第二の自然〉、つまり外的条件に依存しない自律した体系とみなし、現実世界とは異なる水準で理想美を追求する創作態度――には背を向けて、人間の生と強く結びつく芸術によって現実への政治的介入を訴える、挑発的な宣言だった。旧世代へのこの全面的な対決姿勢は、奇しくもそこにゲーテ本人の死が重なったことで（一八三二年）、じっさい一種の「文学革命」［ヤウス］の様相を帯びながら、ドイツ語圏の文化的・政治的風景に大きな刻印を残すこととなる。

こうしたハイネの新しい文学観と共鳴した数名の作家たちは、やがてゆるやかに合流しながらひとつの文学的レジスタンスを形づくっていくことになるのだが、冒頭で触れたあの連邦議会決議をきっかけに、ひとつの運動体としての「若きドイツ」はその後あえなく弱体化してしまう。しかし、それによってこの流派に名を連ねた作家たち自身があっさり筆を置いたわけではない。彼らはつづく一八四〇年代も、そして挫折に終わった四八年の革命後もなお、それぞれの立場で健筆を揮いつづけていくからだ。三〇年の七月革命を前後してドイツ語圏の文壇に躍り出たこの若者たちは、しかしそのとき、いまや生物学的な意味での老化を経験しながら、いったいどのように年を重ねていったのだろうか。

本章では、この「若きドイツ」の代表的論客であると同時に一九世紀のドイツ語文学そのものを代表する二人の書き手、前述のハイネとカール・グツコー（一八一一―一八七八年）を例にとって、かつての若者たちの老後の生を跡づけてみたい。以下では、彼ら自身の言説と彼らをめぐる複数の言説を〈若さ〉と〈老い〉の葛藤を補助線として分析していくことになるが、もとよりその目的は、一九世紀の作家たちが抱いていたある種の世代意識を、しばしば世代論で設定される二つの分析枠組み——すべての人が辿るライフサイクル上の一段階である「ライフステージ」と、特定の出生年を基準とした共通の経験によって定義される「コーホート」という統計上の集団〔Roseman, 182; 村上、五六—九三頁〕——に照らして、社会学的に考察することにあるのではない。むしろ、その実質がいかなるものであったにせよ、そうした〈世代〉の形象が特定の言説のなかでどのような修辞的機能を担っていたのかを明らかにすること、それが本章の課題である。本題へと進むまえに、まずは「若きドイツ」が生まれることとなった歴史的脈絡を確認するため、その前史となる一八世紀の状況を一瞥しておこう。

2　青年運動の前史——啓蒙主義、疾風怒濤、ロマン主義

しばしば「青年〔Jugend〕」とは一八世紀の「発明」であったといわれる。もちろんそれ以前にもひとつの年代としての青年期という段階が存在することは一般に認知されていたが、それ自体が固有の意味をもつ時間ないし「自立した生活形式」として理解されるようになるのには、ヨーロッパでは一八世紀を俟たなければならなかった〔Oesterle, 9〕。「かれらは子どものうちに大人をもとめ、大人になるまえに子どもがどういうものであるかを考えない」〔ルソー、一八頁〕という同時代人にたいする批判から書き起こされたジャン＝ジャック・ルソーの教育書『エ

ミール』（一七六二年）は、成人期とは区別される独特な年代としての幼年期ないし青年期を発見した先駆的な一例といえるだろう。（なお、社会史的に見た場合には、子どもの死亡率と出生率の低下および中等教育制度の普及によって、年長の子どもたちへの配慮と関心が高まりを見せる一九世紀後半に「青年期の発見」があったとされるが〔ギリス、一四九―二〇六頁〕、本章の主題からは離れるため、ここでは深く立ち入ることはできない。）

啓蒙主義の刻印を強く受けた一八世紀は、教育改革の流れが本格化した時代でもあった。一方でそれは、いまだ不完全な未成年状態にある子どもたちから、理性を適切に行使することのできる成人をつくり出そうとするプロジェクトであり、その展望の先にはなかば必然的に「理性的な老人」というひとつの理想像が結ばれることになる。しかし、事情はそれほど単純だったわけではない。こうした「老人にたいする評価」の傾向は、じっさいにはもう一方にある「青年への関心によってバランスを保たれていた」のであり、けっして「老人の経験にもとづく教えに闇雲に従うことが要請されていた」わけではなかった〔Göckenjan, 101-149〕。むしろ「変化の加速によって特徴づけられる近代社会では、過去の刻印を受けた範例や規則にもとづいて生活を維持するやり方はますます時代遅れのものとなり、高齢の世代はそれだけいっそう標準としての権威を失ってしまう」〔Oesterle, 9〕。さらに、啓蒙主義も後期になると、一七七〇年頃にはじまる「疾風怒濤」の文学運動から世紀転換期の「ロマン主義」へといたる時流のなかで、この趨勢はいっそう顕著なものとなっていく。その明示的なタイトルによって〈苦悩する若者〉をこれ見よがしに主人公に据え、疾風怒濤期のベストセラーとなったゲーテの出世作『若きヴェルターの悩み』（初版一七七四年）は、その流れを体現する象徴的な作品であった。

こうして一八〇〇年頃に勃興することとなった若者論を前史として、一九世紀前半にはヨーロッパ全土で政治的かつ文化的な青年運動が盛り上がりを見せていく。ドイツ語圏では、フランス革命とそれにつづく対ナポレオン解放戦争の流れを受けて、一八一五年にイェーナで結成された学生組織「ブルシェンシャフト」が有名だが、それだけではない。一八三〇年頃にフランス・ロマン主義の作家たちによって「若きフランス」が、三一年にイタリア人活動家ジュゼッペ・マッツィーニによって「若きイタリア」が立ち上がると、これを皮切りに三四年には「若きヨーロッパ」と「若きポーランド」が、つづく四〇年代には「若きアイルランド」が成立し、このわずか一〇年あまりの短期間に「若き」という形容詞を冠する運動体がつぎつぎと産声を上げては、いずれも彗星のごとく消えていった。本章で取り上げる「若きドイツ」もまた、この一連の流れのなかで生まれたグループのひとつにほかならない。その一員と目されていたハイネが「芸術時代の終焉」という言葉によって、旧世代との断絶をことさらに強調していたことはすでに触れたが、ロマン主義の文学観とのあいだに大きな葛藤を抱えながらも、少なくとも同時代の社会にたいする批判的なポテンシャルを若者に求めるというその姿勢において、「若きドイツ」は疑いなく前世紀以来の若者論の流れのなかに根ざす運動だったといえるだろう。

もっとも、一八世紀の「青年」の「発見」が基本的には〈市民男性〉という特殊な社会集団にかぎられた出来事であり［Oesterle, 10］、そこから除外される他の集団――〈女性〉や〈貴族〉や〈民衆〉――についても同様に青年期の重要性を説く言説が流布したわけではなかったことを踏まえれば、「若きドイツ」が「世代対立の表現」という以上に、むしろ男性市民層による一種の「階級運動」という性格をもつものであったことはたしかだろう［Roseman, 185］。ただし、本章の関心にとって重要なのは、それが本来の意味での世代対立であれ、政治的ないし文化的な価値対立に貼られたたんなる符牒であれ、このとき〈若さ〉と〈老い〉をめぐる一連の語彙が訴求力のあるキーワードとして積極的に動員されたという歴史的な事実である。次節からは、「若きドイツ」の中心にいた二人の書き手の文筆活動に焦点を絞り、このレトリックの使用価値が時代とともに変容していく様子を跡づけていく。

3　世代交代の基本構造――ハイネ『ロマン派』を例として

一九世紀という時代の到来とほとんど同時に生を享けたハイネは、二〇代のころからすでに気鋭の作家としてその才能を開花させつつあった。当初は抒情詩や旅行記をおもな活動ジャンルとしていた彼は、とくに一八三一年にパリに亡命して以降は批評の分野でも頭角をあらわし、重要な仕事をつぎつぎと手掛けていくことになる。とりわけ三六年に発表された文芸批評の書『ロマン派』は、ドイツの「芸術時代」に属する文学者たちとの対決姿勢に貫かれた論争的な書物であり、ハイネの世代意識（のレトリック）が顕著にあらわれた好例である。（なお、ハイネの著作はフランスとドイツの国境をまたいで発表までに複雑な過程を経ている場合が多いが、本章ではいずれもドイツ語の決定版テクストに限定して議論を進めていく。）

『ロマン派』における〈老い〉と〈若さ〉の位置価値を具体的に測定するため、ここでは著名な文学史家にして文献学者、さらには翻訳家でもあったアウグスト・ヴィルヘルム・シュレーゲルを取り上げた一節を見てみよう。そこでハイネはまずことさらに、この文学者の年齢を強調する。「ハノーファーで一七六七年九月五日に生まれた」彼は「いまでは六七歳」だが、一部の人々の「主張によれば、もっと高齢とのことである」と［DHA 8/1, 168／ハイネ、一九九四年、八五頁］。ちなみに、人物紹介にさいして見られるこの特徴的な様式は、けっしてシュレーゲルの例にかぎった話ではない。じっさいハイネはこの本で言及するほとんどすべての作家について、その生年月日や現在の年齢にかんする情報を逐一几帳面に提示している。その狙いを考えるうえで興味深いのは、年齢不詳のままに紹介されている例外的な作家のひとり、ジャン・パウルだろう。そこで彼が「今日の若きドイツの作家たち」の先駆者と位置づけられ、彼らと同じ特質、すなわち「生と文筆を区別しようとせず、政治をけっして学問や芸術や宗教から分離」〔DHA 8/1, 218／ハイネ、一九九四年、一七〇頁〕しないという特質を共有する書き手として評価されていることに鑑みれば、いまや中年期から老年期にさしかかろうとしている「ロマン派」の詩人たちの実年齢を指摘するという記述形式そのものが、ハイネを含む「若きドイツ」と彼らとの価値観の相違を世代対立として演出するための修辞的方法だったように思われてくる。

ロマン主義の大家シュレーゲルの仕事を批判的にふり返るなかで、ハイネは彼との個人的な思い出を挿話的に披露している。「一八一九年にまったくの若者であったわたしがボン大学に入学し、そこで文学的天才である詩人アウグスト・ヴィルヘルム・シュレーゲル氏に対面するという名誉」を得たときの「心地よい驚き」を回顧しながら、彼は「パリの最新のモード」に身を包んだ当時のシュレーゲルの様子を「ドイツの教授の講義では前代未聞の事柄」に満ちたものだったと述懐する。いわく、「それはナポレオンを別にすれば、当時のわたしが見た最初の偉大な男であった」〔DHA 8/1, 174／ハイネ、一九九四年、九四―九五頁〕。こうしてかつて「わたしたち若者」の心をとらえた大学教授と、のちにハイネは亡命先のパリで思わぬ再会を果たすことになるのだが、それは彼に深い「悲しみ」をもたらす出来事になったという。

ほんとうに、自分の目で見て納得するまでは、このように変わり果てることがあろうなどとはまったく思ってもみなかった。〔……〕わたしは彼の亡霊(ガイスト)を見たのだと思った。だがそれは彼の肉体にすぎなかった。精神(ガイスト)は死に、肉体はなおもこの地上を幽霊のように徘徊しているのだ。そして、彼はこの間にかなり太っていた。痩せ細って心霊じみた脚にはふたたび肉がつき、でっぷりとした腹まで覗いていて、そのうえには大量の勲章がぶら下がっていた。〔……〕彼はスタール夫人が死んだ年の最新の流行に身を包んでいた。そうして、砂糖のかけらを口に含んだ高齢のご婦人のように古びた甘い微笑を浮かべながら、気取った子どものように若々しい動きをしていた。じっさい彼の身には奇妙な若返りが生じていたのだ。いうなれば、彼は自分の青年期の冗談じみた第二版を体験してきたのである。彼はふたたび花盛りの時期を迎えていたようで、わたしは彼の頬の赤みは化粧ではなく、自然が見せる健康的なアイロニーだったのではないかと疑っているくらいだ。［DHA 8/1, 176／ハイネ、一九九四年、九七—九八頁］

かつて流行の最先端を走っていたはずの花形教授の見る影もない現在の姿を、昔日の教え子はグロテスクな老化のイメージで描き出している。もはや聡明な「精神」は失われ、肥満と虚飾の醜悪な外観だけが残された「肉体」には、〈老い〉のたしかな痕跡が窺われる。その服装の年代を特定するためにここで引き合いに出される「スタール夫人」とは、ハイネの著作に先立つこと約二〇年前、その包括的な『ドイツ論』（一八一三年）によってフランスにおけるドイツ・イメージの形成に大きな影響を与えた人物だが、ハイネは『ロマン派』の冒頭において、この本がまさしくスタール夫人の『ドイツ論』の「続篇」として構想されていることを明言しつつ、同時に彼女の「意識的な党派性」（ドイツの「ロマン派」にたいする彼女の傾倒）を指摘したうえで、この先達の業績からは明確に批判的な距離をとっている［DHA 8/1, 125f.／ハイネ、一九九四年、一四頁］。そうであればこそ、そのスタール夫人の没年（一八一七年）の衣装を依然として身にまとっているシュレーゲルは、まさしく「高齢のご婦人のように古びた甘い微笑を浮かべる」旧世代の権化にほかならない。たしかに彼の「肉体」は「気取った子どものように若々しい動き」を見せてはいるが、それもここではせいぜいのところ、その外見の均衡を欠いた異様さを際立たせる効果しか生まないだろう。初老の男が経験したこの「奇妙な若返り」とは、結局のところ「自然が見せる健康的なアイロニー」にすぎないのだから。

別の箇所では、シュレーゲルは「ひとえに彼が既存の文学的権威を攻撃したさいの前代未聞の厚かましさによって」［DHA 8/1, 169／ハイネ、一九九四年、八七頁］その名声を得た人物であると評されている。それは、いまや著者自身にとっての「既存の文学的権威」となったその男、ここで過去の遺物としてみずから葬らんとしている当の人間のなかに、ハイネがかつて（自分と同じく）旧世代への反抗によって名を成したひとりの若者の姿を見出していたことのあらわれだろう。ここでは、いつしか老いた権威となり果てたかつての若者を次世代の若者が追い落とす、という同型の構図の反復、いうなれば世代交代の基本構造が、範例的に実演されているように思われる。

この関連で見逃せないのは、やがて病床に伏すこととなった五〇代のハイネが、三〇年代に発表されたかつての自著の批判的主張を一部撤回する意向を示したという、詩人晩年の有名な逸話である。徹底したキリスト教批判の立場から、宗教改革に端を発するドイツ哲学の歴史的展開を叙述した『ドイツの宗教と哲学の歴史について』（一八三四年）の「再版に寄せる序文」（一八五二年）のなかで、ハイネは「この本をまったく印刷に回さずに済むとしたらありがたい」とこぼしつつ、その理由をつぎのように説明している。

> この本が出版されて以降、いくつかの物事にかんするわたしの考えは、こと神にかかわる物事についての考えは、憂慮すべきほどに変わってしまった。かつて自分が主張したいくつかのことは、それよりも優れたいまの確信と矛盾している。［DHA 8/1, 497／ハイネ、一九七三年、一四頁］

こうした変節の事情については、作者最後の詩集となった『物語詩集(ロマンツェーロ)』(一八五一年)の「あとがき」のなかに、「死の床にあってはなんとも感傷的で気弱になり、神や世界と和解したくなるものなのだ」という説明が見られ、数年に及ぶ闘病生活がその一因であったことが示唆されている。しかもそこに、自分がかつてとある論敵を容赦なく批判したことへの反省のそぶり(「わたしの若者らしい無思慮がそのような不幸を招いてしまったことを遺憾に思う」)まで見られることを考え合わせれば〔DHA 3/1, 178/ハイネ、一九五一年、二二三―二二四頁〕、加齢と病気による身体的衰弱のなかで、舌鋒鋭い批判者としての以前のハイネが一種の転向を遂げていくさまを想像することも困難ではないだろう。はたして詩人は老境にいたって、ほんとうに転向を経験したのだろうか。

4　晩年の転向？――ハイネ『精霊たち』から『亡命の神々』へ

このことを考えるうえで興味深い素材がある。それは、「ハイネの詩的想像力の基幹をなす」〔Höhn, 362〕といわれる大陸北方の民間信仰に息づく精霊たちと古代の神々、キリスト教の到来によって苦難を強いられることとなったヨーロッパ古来の神話的形象である。「異教の神々はキリスト教によって取り除かれたのではなく、変容すなわち悪魔化されたのだ」〔Höhn, 364〕という理解に立つハイネは、いまや人々に忌避される存在となりながらもキリスト教の体制下を生き延びている精霊たちの数奇な運命に、その創作活動の初期のころから強い関心を示していた。そうであればこそ、キリスト教への一種の宗旨替えをほのめかす先の「あとがき」はいっそうの驚きをもって読まれるわけだが、そこでハイネはこの点にかんして、じつに曖昧な弁明をおこなっている。いわく、「わたしは何ものとも手を切らなかった。たしかに背を向けたとはいえ、愛と友情のうちに別れを告げたわが古き〔老いた〕異教の神々にたいしてもそうである」〔DHA 3/1, 180f.／ハイネ、一九五一年、二二七頁〕。本節では、まさしくこれと同じ主題をめぐって、しかし二〇年近い時を隔てて執筆された二篇のエッセイを手掛かりに、ハイネのこの両義的な発言の内実を検討していきたい。

最初の作品『精霊たち』は、一八三七年、作品集『サロン』の第三巻に収録された。そこではグリム兄弟の『ドイツ伝説集』や『子どもと家庭のためのメルヒェン』にはじまり、アヒム・フォン・アルニムとクレメンス・ブレンターノの『少年の魔法の角笛』、さらにはバロック期の文筆家ヨハネス・プレトリウスの著作にいたるまで、民間信仰を題材に編纂された複数の文献を典拠としつつ、キリスト教の伝播によって変身と移住を余儀なくされた原初の「精霊たち」のその後の生の痕跡が、民話や伝説の引用（および自由な再話）と註釈をとおして跡づけられていく。

われわれの文脈にとって興味深いのは、作品の中盤、語り手〔ハイネ〕の架空の友人として設定されたヒンリヒ・キッツラーなる人物をめぐるエピソードだろう。「学識」と「豊かな着想」を備えたこの「勤勉な」友人は、「人生の貴重な二年間」を費やして、ついに「キリスト教の卓越性についての大作」を書き上げた［DHA 9, 42f.／ハイネ、一九八〇年、七一―七四頁］。そこで彼は「かの若きキリスト教、小さなダビデが、老いたる異教に戦いを挑み、あの大きなゴリアテを殺害するさまを感激とともに描写」したのだが、脱稿後の彼の表情はなぜかまったく晴れやかではない。

それからというもの、わたしにはこの決闘が奇妙な光のなかに映し出されているのです――ああ！　たとえば反対の立場にある人がこの福音の勝利を描写するとしたら、それはどのようなものになるだろうか、ということをありありと思い浮かべたとき、わたしの胸のなかでは自分のこの弁明にたいする意欲と愛情が干上がってしまいました。〔……〕そうです、白状しなくてはなりません、とうとうわたしは異教が残したものに、あの美しい神殿と彫像にたいするぞっとするような同情に襲われたのです。それらはもはや、キリストが生まれるずっと以前からすでに死んでいたあの宗教などではなく、そこで永遠に生きつづけている芸術に属するものなのですから。［DHA 9, 44f.／ハイネ、一九八〇年、七七―七八頁］

教会擁護の立場からすれば、当然のごとく「若きキリスト教」が「老いたる異教」を打ち負かす、という構図で語られねばならないはずのその歴史に、この宗教史家はみずから大きな疑義を差し挟む。「反対の立場にある人」の視点に立ってみずからの歴史観を相対化するキッツラーは、通常は勝者の歴史として伝承されていく正史の裏に、語られることのない敗者の歴史が織り込まれていることに気づくのだ。いまやそこにあらわれるのは、キリスト教によって滅ぼされた古代の「宗教」などではなく、永遠の生をもつ「芸術」、すなわち、「死」と隣り合わせの〈老い〉とは対照的な若き古代の姿にほかならない。一度は「老いたる異教」として退けられたはずの古代の文化は、ついには「人類の春の時代をしるしづける記念碑」と形容され、キリスト教と古代ローマにそれぞれ〈若さ〉と〈老い〉を対応させる当初の図式は、ここで完全に転倒される。「この本の出版によってそのような冒瀆に事後的に関与することを望まない」この若き碩学は、その後「自分の原稿を暖炉の火のなかに投げ込んでしまったので、キリスト教の卓越性のうちで残ったものは、ただ灰色の灰をおいてほかにはなかった」［DHA 9, 45／ハイネ、一九八〇年、七八頁］。

世代対立のレトリックにおいて〈若さ〉の側に軍配を上げるハイネの論法は、このテクストにおいてもまったく破綻なく機能しており、それは作者のキリスト教にたいする批判的立場とも一致している。さらにこれと呼応するように、じっさい作中で紹介される「精霊たち」が――空気の精や水の精の「おとめ」たち〔DHA 9, 18, 21 u. a.／ハイネ、一九八〇年、二三、二八頁など〕から「美しい若者」の姿をした「悪魔」〔DHA 9, 41／ハイネ、一九八〇年、七〇頁〕にいたるまで――ほとんどの場合に若者の容姿で登場するということは、注目に値する事実だろう。もちろん民間伝承の再話というこのテクストの性質上、それがどの程度までハイネ自身の意図の反映であったかはさだかでないが、つづく彼の後年の作品との比較にさいしては、これがひとつの重要な争点となってくる。

そのもうひとつのエッセイ『亡命の神々』は、『精霊たち』から一八年後の一八五四年、ハイネの『著作集』第一巻に収録された。その冒頭では「神々の悪魔化」、すなわち、キリスト教によって「亡命」を強いられた古代の神々という主題について、「わたしは『サロン』の第二部および第三部のなかで率直に語っておいた」〔DHA 9, 125／ハイネ、一九八〇年、一二五―一二六頁〕と明言されており、五〇年代に書かれたこのテクストが著者の三〇年代の仕事、わけても『精霊たち』の延長線上に位置するものであることがはっきりと表明されている。

そうであればこそ、ここでまずもって目を引くのは、五〇年代に描かれた最新版のその神々が「以前よりも年をとり、血の気をなくし、老衰している」〔Höhn, 465〕ことだろう。一部の例外――「牧人」あるいは「傭兵」としてわずかに言及されるだけのアポロンとマルス〔DHA 9,

126f.／ハイネ、一九八〇年、一二八―一二九頁〕、そして神々のなかで唯一「すばらしく美しい若者の姿」〔DHA 9, 129／ハイネ、一九八〇年、一三三頁〕で登場するバッカス――を別とすれば、「流行遅れの衣服」を身につけた「若々しい老人」〔DHA 9, 133f.／ハイネ、一九八〇年、一四一頁〕である商業の神メルクリウスから、「命令するような、ほとんど王者のような威厳」を備えながらも「みすぼらしい身なりをしたひどく高齢の老人」〔DHA 9, 141f.／ハイネ、一九八〇年、一五五―一五六頁〕として描かれる最高神ユピテルにいたるまで、さらには、他の神々とは違って「移民となることなく、キリスト教の勝利ののちもみずからの領地にとどまりつづけた」冥府の神プルートと海神ネプトゥヌスもまた、かたや「年老いた闇の支配者」として、かたや「臍までたなびく銀の波打つ髭」〔DHA 9, 137f.／ハイネ、一九八〇年、一四七―一四八頁〕をたたえた姿で、描き出されているのだから。ここにおいて、キリスト教徒と異教の神々に割り当てられた価値の配置が、以前のそれとはほとんど逆転していることは明らかだ。かつてはキリスト教によって追放の憂き目に遭う「精霊たち」に〈若さ〉という身分保証が与えられていたのにたいし、いまや「亡命の神々」はその資格を剥奪されて、みずからの〈老い〉と向き合いながら流謫の生活を強いられているのである。

　従来のハイネの論理に照らすなら、ここで否定的な価値を負わされているのは、図式的には〈老い〉という属性を与えられている神々の側ということになるだろう。『亡命の神々』が、すでに確認したあの「序文」と「あとがき」ののちに書かれたテクストであることに鑑みれば、ここにハイネの宗教的転向を証言するひとつの痕跡を読み取るほうが、解釈としては自然かもしれない。しかし同時に、まさしくこの神々が置かれている境遇こそは、政治的な事由によってパリへと逃れた作者自身の、じつに二〇年以上にも及ぶ苦難の亡命生活にたいする隠喩的表現でもあったはずだ。ここに見られるある種の矛盾を、われわれはどう理解すればよいのだろうか。

晩年にキリスト教との和解の道を模索したハイネにとって、新たに取り組む著作における課題のひとつは——それがかつての自作の続篇として構想されているのであればなおさらに——彼の従来の執筆活動の基調をなしていたキリスト教批判のニュアンスを周到に抑制する点にあったにちがいない。とはいえ、そこで素朴にキリスト教の全面肯定に転じ、「亡命の神々」の存在を黙殺してしまっては、まさしく自分に信仰との和解を迫った亡命という過酷な境遇の不当性を、手放しに容認することにもなりかねない。この困難な二者択一のあいだでハイネが選び取った第三の道、いまや「背を向け」ざるをえなくなった「異教の神々」となおも「手を切らな」いためのほとんど唯一の可能性こそが、〈老境の神々〉という詩的形象だったのではないだろうか。一方では「死」と結びついた〈老い〉の表象を古代の神々に与えることで、キリスト教の勝利にたいする疑念の契機を切り詰めつつ、他方では、ほかならぬその神々にみずからの「亡命」の境地を重ね合わせることによって、その苦痛の経験への共感をも表現する、という一筋の隘路のようなこの思考回路は、そうした〈老い〉の形象にみずからも共鳴するための前提条件、すなわち、晩年というライフステージに詩人自身が到達したこの時点だからこそ可能となった、ひとつの積極的な選択肢だったように思われる。『亡命の神々』の末尾、ユピテルにまつわる物語を知人から聞いたという作者は「この報告がわたしの魂を憂愁で満たしたこと」を告白し、「神々自身も最後には恥辱にまみれて滅びねばならぬ」ず、「運命の鉄の法則がそれを望んでいる」ことを認めたうえで、彼らへの最大限の共感を惜しまない。「偉大なものが斃（たお）れている光景はわれわれの心を揺り動かす。そして、彼らにはわれわれのもっとも敬虔な同情が捧げられるのだ」[DHA 9, 144f.／ハイネ、一九八〇年、一六一―一六二頁]。

5　世代交代の構造転換――グッコー批判の歴史的位置

ハイネが〈老い〉と〈若さ〉の新たな配置に苦闘していた一八五〇年代、彼よりもさらに年少の世代に属する「若きドイツ」の作家グッコーは、ウィーン体制下の厳しい検閲を生き延びたあともなお、その筆の勢いはまったく衰えを知らなかった。のちに彼の代名詞となる全九巻の長篇小説、じつに四〇〇〇頁にも及ぶ大著『精神の騎士』（一八五〇／五一年）の「まえがき」

のなかで、グッコーはこの小説の非常識なまでの長大さについて読者の「忍耐」〔GR, 5〕を求めつつ、いまや「長篇小説は新しい段階を体験している」〔GR, 8〕ことを告げて、この新作の規模の要因となった創作原理をつぎのように説明している。

新しい長篇小説とは並列の小説〔Roman des *Nebeneinander*〕である。そこには全世界がある！　そこでは時間が一面に張り渡された布のように広がっているのだ！〔……〕いまでは黙せるものも語っているし、その場にいないものも共演している。〔……〕もはや人生の断片ではなく、丸く完全な円環の全体がわれわれの目のまえにあるのだ。〔……〕詩人は空中を飛ぶ鷲の視点から見下ろすのである。〔GR, 9f.〕〔強調は原文〕

特定の個人に定点をとり、その視点から時系列順に物語が展開していく、従来の一般的な小説の特徴を「連続〔*Nacheinander*〕」〔強調は原文〕という言葉で表現するグッコーは、「こちらの運命とあちらの運命のあいだ」にある無数の連関をすべて捨象し、それらを直線的に短絡させてしまうそうした「古い〔老いた〕小説」のやり方を批判する。これにたいして彼が提起する新たな「並列」の原理とは、「そのあいだ」にある「生」を、つまりは「時間の全体、真実の全体、現実の全体」〔GR, 9〕を余すところなく描き切るための方法であり、同一時刻に別の場所でさまざまな出来事が並行して起きている現代社会の複雑な実相を、遡及的な物語技法や視点人物のめまぐるしい転換によってパノラマ的に描写し尽くそうとする前衛的な小説理論にほかならない。文壇デビュー直後の二〇代のときからすでに文学的実験に意欲的だったこの作家は〔西尾、一六八―一七五頁〕、四〇代を迎えてもなお新たな様式の追求を怠ってはいなかった。

しかし、当時すでにドイツ語圏の文壇で不動の地位を確立していたグッコーは、同時にこのとき、一八四八年の三月革命（の挫折）後の時代情勢のなかで台頭しつつあった「リアリズム」という新たな潮流の文学者たちにとっては、全面的な対決によってその威信を否定しなければならない絶対的な権威でもあった。そのことは、リアリズムの指導的批評家であったユリアン・シュミット（一八一八―一八八六年）によるグッコー批判のなかに、もっとも先鋭的なかたちであらわれている。文学研究者のフィリップ・ベットヒャーは、シュミットが編集主幹を務めていたリアリズム文学の綱領的機関誌『国境の使者』を中心におこなわれたこの一連の論争を、新たな集団が文学の「界〔champ〕」（ピエール・ブルデュー）に参入するさいに既存の集団との「差異」を求めて遂行することになる「闘争」の模範的事例ととらえているが〔Böttcher, 423-444〕、ここではとくにシュミットがその「闘争」にさいして利用した比喩形象に着目しつつ、その批判の具体的な内容を見ていこう。

一八五五年に増補改訂版となる第二版が刊行された現代文学論『一九世紀ドイツ文学の歴

史』において、シュミットはまず「現代のすべての作家たちのなかで、この時代の混乱の全体像を提供するのにグッコーほど適任のものは誰もいない」［Schmidt, 64］と前置きしたうえで、容赦ないグッコー批判を展開する。そこではたとえば、彼の強い主観的傾向に由来する客観的関心の欠如など、著者の奉じるリアリズムの公準に照らしてグッコーがいかに新しい時代に不適格な作家であるかが滔々と語られていくのだが、そうした個々の論点の内容以上にわれわれの文脈において重要なのは、それが主張されるさいのレトリックである。興味深いことに、シュミットはここでグッコーを——かつてハイネがシュレーゲルにたいしてそうしたように——〈年老いた権威〉や〈時代遅れの遺物〉として退けようとするのではなく、反対に〈未熟な若者〉として批判するのだ。そこには二人の世代的な近さ（二人は実年齢としては七つしか離れていない）という客観的な事情を越える、別の理由があったように思われる。

この批評家の見るところ、「あまりに早く文学に足を踏み入れてしまった」グッコーは、若くして「センセーション」を巻き起こしたことで「それ以上の自己形成を必要だとは思わなくなった」。出世欲と自信過剰の塊である「グッコーの場合、その小児病は慢性疾患となっている。彼はいまでもその感情において、二〇年前と同じように動揺していて虚栄心が強く、不安定なのだ。それを疑うものは『精神の騎士』の序文を読んでみたまえ。そこではグッコーがいつものように、自分はこれで文学の新しい段階を切り開いたのだ、とみずからの確信を豪語している」[Schmidt, 65f.]。こうした分不相応の未成熟な青年像は、さらに、前世紀末の青年運動の文脈へと還元される。彼が巨大なスキャンダルの渦中にあった「一八三五年という年は、グツコーの人生における疾風怒濤時代であった。彼は自分の力に見合わない感情へと舞い上がったのだ」[Schmidt, 72]。最終的にシュミットは、「若きドイツ」という歴史的事象をつぎのように総括する。「若きドイツの作家たち」の「名前には、未完成な青年期の希望、そして強情な年代の恐怖と嫌悪が結びついていた」のだが、結局彼らは「何かを壊すことも何かを築くこともできなかった」。彼らは「前世紀の偉大な作家たちの下準備のあとで、詩と散文にたいする一種の形式的な才能を容易にわがものとすることができた」ために、「本来ならようやく自己形成をはじめる年齢で、人民の教師となってしまったのだ」。しかし、かつては「いくらかの才能と不遜な言葉があれば、まずは有望な若者として、つぎには人類のために戦う先駆者として認められた」彼らも、まもなく「こうした早すぎる成功」の「報いを受けることとなり、この忘れられた作家は全面的な不満に襲われることとなったのである」[Schmidt, 77f.]。

もちろんこのとき、現実のグツコーは同時代の読者からまったく「忘れられ」てなどいなかったし、だからこそシュミットは、自分の文学的立場を確立するための論敵としてあえてこの作家を選んだわけで、つまるところ、彼の批評がすべて正確に事実をとらえたものであったとはいいがたい。確実なのは、「既存の文学的権威」に対抗するために「若きドイツ」の作家たちが考案した〈世代交代〉というあの批判的修辞の構造が、ここで完全に転覆されているということだ。たしかに、成長（「自己形成」）を止めてしまったがために「二〇年前」から何の進歩も見られない、というグツコー批判の理屈は、旧態依然たるシュレーゲルを批判したときのハイネの論法と共通している。だが、後者があくまでも〈若さ〉という価値を掛け金に、〈老い〉の表象を批判のための有力な道具として活用することができたのにたいし、一八五〇年代の批評家は〈若さ〉そのものを病と結びつけ（「小児病」）、なおかつその「未完成な青年期の希望」を何の実りも（破壊すらも）もたらすことのない不毛な幻想として一蹴することで、若者に認められてきた特権的な地位そのものを剥奪しようとしているのだ。その点において、ここでの論理の転換は、前節で確認した晩年のハイネによる〈老い〉と〈若さ〉の再配置の試み、滅びゆくものに共感を寄せる一種の衰退の美学とも質をまったく異にしている。若者の「早すぎる成功」に眉をひそめるシュミットは、臆面もなく未成年状態への不信をあらわにし、そうして「疾風怒濤」から「若きドイツ」にいたる青年運動の最初の歴史に公然と幕切れを告げるのである。

二人の文学者のあいだを走るこの亀裂は、おそらくはたんなる個人的な軋轢ではなく、集合的ないしは世代的な断絶のあらわれだった。たとえばリアリズムを代表する作家テオドーア・フォンターネ（一八一九―一八九八年）は、自分自身まだ駆け出しだった二〇代のころにすでに、青年期の一般的な経験不足を根拠としながら、「文学創作を青年のもの」と考える「根本的に誤った悲しむべき想定」を批判している。文学研究者のギュンター・エスターレが指摘するとおり、これが「青年というロマン主義的コンセプト」を「想像力と文学の不吉な同盟」[Oesterle, ⊐]とみなすポスト・ロマン主義世代による批判の典型であったとするならば、シュミットによるグッコー批判も基本的にはこれと同型の世代意識に立脚するものだったと考えられよう。こうして一九世紀前半の〈老い〉と〈若さ〉の葛藤の歴史は、ここでひとつの転換点に到達する。過度の図式化を承知でまとめるなら、それは、広義のロマン主義世代からリアリズム世代へと文学的世代が切り替わる歴史的な瞬間であり、同時にこのときの世代交代は、まさしくそれが〈世代交代〉のレトリックの構造転換として、すなわち、ほかならぬ〈世代交代〉の論理自体を組み換えることで文学者の世代交代が遂行されたという点において、後世における〈世代〉という主題そのものの価値の高騰を予感させる徴候的な出来事でもあったのだ。

本章の議論を閉じるにあたり、この転換点以後の歴史的経過についても簡単に展望しておきたい。リアリズムの時代もやがて陰りを見せはじめ、のちに「自然主義」と呼ばれることになる新たな文芸運動が早くも一八八〇年代には始動すると、かつて不信の烙印を押された「青年」はそこで見事な復権を果たす。自然主義者たちはみずからを前世紀末の「疾風怒濤」、とりわけ当時その代表格とみなされたヤーコプ・ミヒャエル・ラインホルト・レンツになぞらえ、若くして精神の病を患ったこの詩人の積極的な受容にさいして、「それまではおもに侮蔑的な意味をもっていた〈病気の青年〉という解釈モデルを肯定的に使用するようになった」［Martin, 277］のである。こうしたレンツの再評価と連動するかたちで、一九世紀前半にこの詩人を主人公とする物語断章を書き残した夭逝の作家ゲオルク・ビューヒナーもまた、同じく「再発見」の機会を得るのだが［Martin, 521ff.］、自分よりもわずかに年少だった彼の才能をいち早く見出し、生前からその活動を支援したのがほかならぬあのグッコーだったということも、ここで付言しておきたい。さらに、こうした自然主義の潮流が生まれた時期は、奇しくもいわゆる「青年神話」興隆の時代と重なっている。一九世紀末、近代社会の産業化と規律化への反発として、自然のなかでの自由の回復を志向する若者たちが「ヴァンダーフォーゲル」運動を旗揚げすると、それを皮切りに活発化した青年運動の高揚のなかで過激な若者礼賛のムードが醸成され、やがてそこから、後世の議論に決定的な影響を与えることになる社会学者カール・マンハイムの論文『世代の問題』（一九二八年）が生まれるのだ［村上、五八―六七頁］。一九世紀中葉に一度は途絶えたかに見えた青年運動の水脈は、こうして世紀末にふたたび掘り起こされ、その支流ではのちに学術的な世代論が形成されていくこととなるのである。

このような展望に立ってふり返るとき、若者賛美が隆盛する一八〇〇年と一九〇〇年という二つの世紀転換期のちょうど狭間の時代にあって、グッコーはじつに稀有な歴史的位置に立つ作家だったといえるのかもしれない。次世代の「青年」によって〈老い〉のレッテルを貼られたときにはじめて、若者は年をとるのだとするならば、終生「若きドイツ」の象徴的存在であることをやめなかった彼は、文筆活動という公的生活において、ついに老後の生を送ることを許されなかったからである。最後に、ふたたびこの作家の言葉に耳を傾けておこう。

新しい時代の文学を自任するリアリズム陣営から誹謗中傷まがいの執拗な攻撃の的にされたグツコーは、じつのところその反動として、過ぎし日の文学を知る一種の故老の立場へとみずから身を転じようとしていた節がある。先述のシュミットの文学史と同年に発表された短文のエッセイ「小説と労働」において、彼は、労働する民衆の生活世界に小説の新たな素材を見出そうとするリアリズム文学への反発をあらわにし、むしろ小説が「信仰や愛や希望といった対象と取り組む」ことの正当性を強く主張しているからだ。「まったくもって、ドイツの長篇小説であればこそ、理念性という古き〔老いた〕小説の領域になおもとどまりつづける権利は、これ以上ないほどはっきりと確証されているのである」〔GS. 1302〕〔強調は原文〕。しかし、その四年後の一八五九年、後進の文学史家カール・ゲーデケの求めに応じて、彼がその半生の歩みを回顧してまとめた未発表の小文からは、この作家の「若きドイツ」としての自己理解をめぐる葛藤の痕跡がはっきりと見て取れる。一方でグツコーは、自分が「ハイネを嫌っていた」こと、そして、この詩人の流儀に倣った文学者の「若者気質の未成熟」に反感を抱いていたことを告白し〔GS. 1936f.〕、この文学グループと自分との距離を強調している。けれども他方で、彼はけっして自分を成熟した作家であるとはみなさない。いわく、「わたしが書いたものはすべて、わたしのなかでの何らかの発展段階を示す符牒なのだ」[GS. 1941]。一定の境地に安住することを知らないこの書き手は、じじつ、その後の生涯においても、さらにはその死後の生においてもなお、いわば永遠の若者でありつづけた。この回顧録の保管者であったゲーデケは、一八七九年、グッコーの没後一年を記念して綴られた文章のなかで、この故人の遺稿の全文を引用しながら、みずから執筆中の新しい文学史のことを想定しつつ、その追悼文を次のように結んでいる。「この一連の告白の紙片は、ここで途切れてしまっている。その先へと話をつづけるかわりに、わたしはむしろ〔……〕若きドイツの歴史にいま一度立ち戻りたいと思う」と[GS. 1942]。

参考文献

Gutzkow, Karl Ferdinand: Die Ritter vom Geiste. Roman in neun Büchern. Erstes Buch. Zweites Buch. Drittes Buch. Hrsg. von Thomas Neumann. Frankfurt am Main 1998.〔略号「GR」を使用する。〕

Gutzkow, Karl Ferdinand: Schriften. Bd.2: Literaturkritisch-Publizistisches, Autobiographisch-Itinerarisches. Hrsg. von Adrian Hummel. Frankfurt am Main 1998.〔略号「GS」を使用する。〕

Heine, Heinrich: Historisch-kritische Gesamtausgabe der Werke〔Düsseldorfer Ausgabe〕. In Verbindung mit dem Heinrich-Heine-Institut hrsg. von Manfred Windfuhr. Hamburg 1973-1997.〔略号「DHA」に巻数と頁数を付記する。〕なお、本論で引用したハイネの著作には下記の邦訳がある。『ロマンツェーロー（下）』井汲越次訳、岩波文庫、一九五一年。『ドイツ古典哲学の本質』伊東勉訳、岩波文庫、一九七三年。『流刑の神々・精霊物語』小沢俊夫訳、岩波文庫、一九八〇年。『〔新装版〕ドイツ・ロマン派』山﨑章甫訳、未來社、一九九四年。『ハイネ散文作品集　第六巻　フランスの芸術事情』木庭宏責任編集、松籟社、二〇〇八年。

Schmidt, Julian: Geschichte der Deutschen Literatur im neunzehnten Jahrhundert. 2., durchaus umgearbeitete, um einen Band vermehrte Auflage. Bd. 3: Die Gegenwart. Leipzig 1855.

Wienbarg, Ludolf: Ästhetische Feldzüge. Hrsg. von Walter Dietze. Berlin/Weimar 1964.

ルソー『エミール　上』今野一雄訳、岩波文庫、一九六二年。

Böttcher, Philipp: Gustav Freytag – Konstellationen des Realismus. Berlin/Boston 2018.
Göckenjan, Gerd: Das Alter würdigen. Altersbilder und Bedeutungswandel des Alters. Frankfurt am Main 2000.
Höhn, Gerhard: Heine-Handbuch. Zeit, Person, Werk. 3., überarbeitete und erweiterte Auflage. Stuttgart/Weimar 2004.
Martin, Ariane: Die kranke Jugend. J. M. R. Lenz und Goethes *Werther* in der Rezeption des Sturm und Drang bis zum Naturalismus. Würzburg 2002.
Oesterle, Günter: Einleitung. In: Ders. (Hrsg.): Jugend – ein romantisches Konzept? Würzburg 1997, S. 9-29.
Roseman, Mark: Generationen als „Imagined Communities“. Mythen, generationelle Identitäten und Generationenkonflikte in Deutschland vom 18. bis zum 20. Jahrhundert. In: Ulrike Jureit/Michael Wildt (Hrsg.): Generationen. Zur Relevanz eines wissenschaftlichen Grundbegriffs. Hamburg 2005, S. 180-199.
ギリス、ジョン・R『〈若者〉の社会史――ヨーロッパにおける家族と年齢集団の変貌』北本正章訳、新曜社、一九八五年。

西尾宇広「女性解放をめざす男性作家たち――「若きドイツ」と一八三五年の二つの小説」青地伯水（編）『文学と政治――近現代ドイツの想像力』松籟社、二〇一七年、一四五―一七七頁。

村上宏昭『世代の歴史社会学――近代ドイツの教養・福祉・戦争』昭和堂、二〇一二年。

ヤウス、H・R「芸術時代の終焉――ハイネ、ユゴーおよびスタンダールにおける文学革命の諸相」『挑発としての文学史』轡田収訳、岩波現代文庫、二〇〇一年、八三―一三九頁。

第4章

想像の晩年、晩年の想像
――アーダルベルト・シュティフター作品の老人像と晩年のスタイル

礒崎康太郎

1 「老い」の階梯とシュティフター

作家の人生をいくつかの発展段階に分け、それぞれの階梯に応じた作家の人生観や創作態度を意味づけることは、文芸研究の常套手段である。青年期の試行錯誤を経て、中年期に創作力の最高潮をむかえ、老年期に衰退に向かう過程をたどったり、晩年における成熟や完成から前半生を振り返って評価したりする手法は、芸術家の伝記研究には必須の要件であるとさえ言える。階梯的人生観では、人生のある時期が他の時期との比較のうちに秩序づけられる。それが老年期であれば、死の接近という視点が加わり、例えば、最盛期からの減退傾向を指して「寄る年波には勝てない」、逆に意気軒昂なさまは「老いてなお盛ん」と称されることになる。しかし、こうした「老い」をめぐる固定観念、類型化は、作家や芸術家の側ではなく、批評する側の態度に由来するものであるとして、とりわけ一九九〇年代以降のアメリカ文学研究において疑問視される。そして「老い」の見直しは、同様に女性に対して特定の意味やイメージを割り当てることを批判するジェンダー研究とも関連づけられ、新たな注目を浴びている［金澤、二一一―一八頁］。少子高齢化が加速する西欧社会においても、「老い」の問題に対する学際的な取り組みが期待されている。ウルリケ・フェダーらによれば、「老い」は医学的・生物学的観点から衰退の過程とみなされる一方で、哲学的・心理学的な観点からは、経験や認識の蓄積とみなされてきた。こうした多様な、ときに相反する言説が文化研究の場に集まり、考察の対象とされている。「老い」の文学的表象は、例えば、老齢に対する固定観念や階梯的人生観を、生産的にかき乱す可能性をもっているため、文化研究への実質的な貢献が可能である［Vedder/Willer, 255f.］。

一九世紀オーストリアの作家アーダルベルト・シュティフター（一八〇五―一八六八年）についても、階梯的な発達過程が認められてきた。ヘルマン・クーニッシュによれば、この過程は三段階に分けられる。『習作集』（一八四四―一八五〇年）所収作品の雑誌版と何点かの単行本版に示される初期段階の後に、発展の重要な一歩となる中期段階が訪れる。『習作集』所収の主要作品（単行本版）、『石さまざま』（一八五三年）、それらの総括となる『晩夏』（一八五七年）を生みだしたこの成長期を経て、最終到達地点となる古典的様式の段階は、『ヴィティコー』（一八六五―一八六七年）と『曾祖父の書類綴じ』（雑誌版一八四一年、単行本版一八四七年）最終稿断片によって示され、初期や中期の試みが最終的な完成へと導かれる［Kunisch, 12］。シュティフターの追い求めた古典的な様式、虚飾のない「簡素な生」の表現が晩年にいたって完成すると考えたクーニッシュに対して、比較的近年の研究では、『習作集』所収作品の雑誌版から単行本版への改作の時点においてすでに彫塑的な彼の晩年のスタイルが志向され、この作家の意識と生活スタイルにおいては、すでに一八四六年頃から「老い」が始まっていたとみなす指摘も見られる［Matz, 211 u. 257］。

シュティフターのこの「老い」の意識は、実際の晩年といかなる関係にあるのか。この点を問いなおすに際して、もうひとつ念頭に置かなくてはならないのは、彼は作家として出発した当初から、老人の登場人物を描き続けており、老人や「老い」に対して一種独特の愛着を抱いていたと考えられることである。老人像の観点からシュティフター作品を眺めるとき、作家自らの年齢や置かれた状況に矛盾するだけではなく、固定観念にとらわれず、ときに逸脱し、抵抗する「老い」の多様な姿が浮かびあがってくる。紙面の都合で、いくつかの代表的な作品の老人像に絞らざるを得ないが、その背後に認められる作家の意識も考慮しながら、老人像と

「老い」の意識が、実際の晩年にいかに接続するかを考察する。

2　晴朗な老人と世代間の連携

父方の祖父アウグスティンと祖母ウルズラは、シュティフターの家庭の重要な構成員だった。幼少期のシュティフターはこの祖母から教育を受け、一二歳にして父親を亡くしたあとは、祖父の畑仕事を精力的に手伝った。祖父母から薫陶を受けた彼が、祖母をモデルとする老人を登場させたのが、一八四〇年に発表された小説『荒野の村』である。この小説は同年に『コンドル号』によって文壇に登場していた彼の第二作に当たり、公表された作品のなかでは、最初に老人が登場する小説となる。

荒野で育った主人公フェリックスが、長い修養の旅を経て、ふたたび故郷の村に戻り、「荒野の住人」になるまでの経緯が伝えられる物語のなかで、彼の祖母は「迷妄と詩想の、蒙昧と才気煥発のあいだを不思議にさまよいながら」〔HKG 1, 4, 184／玉置訳、四四頁参照〕、過去の世界を語り出す人物と特徴づけられている。彼女が読みふけるのはただ一冊、聖書だけであり、詩想をこらした聖書の物語を少年に語り聞かせる。少年にとって祖母は相談相手であり、尊敬の対象であったが、彼女の話は往々にして理解不能なことや、恐怖心を感じることもあったと記されている。祖母のほうもフェリックスを、かつて行方不明になった息子ヤーコプスと混同しており、人物の判別すら怪しくなっている。相手とのあいだの越えがたい溝を前提としながらも、親しい交流が生まれる間柄こそ、フェリックスと祖母の関係である。祖母は不思議な理解しがたい存在だったが、フェリックスにとっては「よく見かける不気味な高齢者の姿ではなかった」〔HKG 1, 4, 184／玉置訳、四四頁参照〕とも告げられている。彼が旅から帰還したのち、二人の関係は次のように描かれている。

フェリックスは他の誰も及ばないくらい、ひとりで祖母の相手をした。祖母はフェリックスにだけは思いのままに話したし、その話を理解できたのも彼だけだった。フェリックスは、たびたび祖母に書物を読んで聞かせた。この一〇〇歳にもなる生徒は、熱心に聞き耳をたてていた。そしてフェリックスの読み聞かせることが分かったかのように、祖母の顔は晴れやかに輝いた。〔HKG 1, 4, 200f.／玉置訳、五八頁参照〕

周囲からあまり理解されない、孤独で「耄碌した祖母」〔HKG 1, 4, 200／玉置訳、五八頁参照〕が、フェリックスとの交流に際しては「晴れやか」な表情を見せ、かつて孫に聖書を語り聞かせた彼女が、いまとなって孫の読み聞かせから熱心に学んでいる。フェリックスの人生遍歴に焦点化されたこの物語のなかで、祖母の登場頻度はさほど高いわけではないが、彼女が登場するほぼすべての箇所は、フェリックスとの交流の場面として描かれている。祖母はフェリックスとの連関のなかにおかれ、コミュニケーションを通じた、年少世代との連携のかたちがつくられている。マリー・グンレーベンによれば、シュティフターのテキストにおける老人女性は、老人男性のような「拘束力のある規範」を具現せず、「もうひとつの物語」の語り手として「外在的な機能」を果たしている［Gunreben, 348］。作者シュティフターにとって異性の老人は、晩年の作品『森の泉』（一八六六年）ではさらに極端な姿で登場する。「野性の少女」ユリアーナの祖母は、森の小屋で暮らし、迷妄の世界に生きる老婆として、周囲から疎まれた存在と化しているが、ユリアーナが唯一の理解者となって彼女を支え、その最期をみとる様子が描かれている。この老婆の境遇から看取される、年老いた女性を無用の長物とみなす伝統的な偏見に対して、老女を年少世代につなげることにより、後世に接続を果たすかたちが作られている。したがって、初期作品『荒野の村』は、老女を扱ったシュティフター作品の原形であると考えられる。

『高い森』（雑誌版一八四一年、単行本版一八四四年）には、二人の老人男性が登場する。クラリッサとヨハンナ姉妹の父親であるヴィッティングハウゼン男爵と、この男爵にかつて仕えた老人グレゴールである。三〇年戦争の戦火を逃れるため、男爵は姉妹をグレゴールに託し、森に疎開させることに決める。旧知の間柄である二人の再開の場面では、男爵はグレゴールに再会できたことを喜び、「ユング森(ヴァルト)のなかで最後に一緒に狩りをしてからというもの、われわれはすっかり年をとってしまった。——老いたな、老いたな」〔HKG 1, 4, 238／磯崎訳、四二頁参照〕と挨拶を送る。語り手によれば、「それは美しい光景であった。〔……〕二人とも美しく、尊敬に価し、偉大な心をとどめ、かれらの頭上の銀髪には、あらゆる老齢の清廉さが宿っているのだ」〔HKG 1, 4, 238f.／磯崎訳、四二頁参照〕。「銀髪」は旧約聖書以来、生活の知恵を備えた老人、すなわち賢者やその名誉ある社会的地位を暗示する伝統的トポスとして用いられてきた〔Liess, 27-32〕。男爵たちには、到来した「老い」を快活に受けとめ、緊迫した状況にも拘わらず、人生を達観する老人の姿が認められる。姉妹の城の生活では男爵が、森の暮らしではグレゴールが姉妹を導き、幇助する役割を果たしており、この物語でも老人たちは若年世代との関連において存在意義が与えられている。とりわけグレゴールは、姉妹の不慣れな森での生活を支え、さまざまな知恵を授け、戦火への不安や、二人の前に姿を現した若者ローナルトとの関係に動揺する姉妹を見守っている。フェリックスと祖母の関係として『荒野の村』に認められた若者と老人の連携は、『高い森』では物語を展開させる軸となり、後の作品、例えば『みかげ石』（一八五三年）においても祖父と少年の関係として引き継がれていく。老人は世代間継承を可能にする存在として、だがあくまでその枠内にとどめられ、いわば連鎖のなかに埋め込まれた存在である。その際、老人男性は、悩める主人公を慰め、導く役割を果たし、快活さ、「老齢の清廉さ」といった資質を備えている。

一八四〇年に作家として世に出たシュティフターは、自身の苦しみを創作活動に昇華させていたことで知られている。その葛藤の最たるものは、青年期の恋人ファニーとの破局であり、『高い森』は、シュティフターが自身の苦しみを美化しない形で描いた最初の作品と目されている［Matz, 152］。クラリッサ、ヨハンナ姉妹は「未熟な若者の理想像」、「無垢な女性像の神格化」［Matz, 155］であり、クラリッサがローナルトと経験する恋愛は、悲劇的結末の前兆となる。姉妹の人物像とその命運に、作者が自らの理想や経験の投影を試みていることは明らかであるが、作者の自己投影は、そこにとどまるものではない。物語の舞台となる、シュティフターの故郷とその近郊の地誌を描き出しているのは、時空を隔てたウィーンでなされた作者の追想であり、故郷の地誌は語り手のみならず、土地勘を備えた老人グレゴールを通じて伝えられている。物語の末尾は、そのグレゴールに言及した内容となる。姉妹が高齢で死んだこと、戦乱で荒廃した土地を原生林が覆うようになったことが語り手によって報告されたのち、最後に言及されるのは、かつての作者の実践に沿うかのように、ボヘミアの森を歩き回るグレゴールの姿である。「ひとりの老人が影法師のように森を通る姿を、人々はその後も何度となく見かけたが、この老人がいつまで歩いていて、いつから歩みを止めたか、その時期を述べることのできる者はいないのだ」［HKG 1, 4, 318／磯崎訳、一四四頁参照］。この所業が姉妹の末路とは別個に語られていることは、ここに彼独自の人生行路が設けられていることを意味する。若者を帮助するだけの老人という設定は、裏返せば、それだけ老人の自律的な役割が存在しないことになる。老人がおおむね他律的な役割に集約される『高い森』のなかで、この最後の一文は、老人が若年世代のたんなる添え物として終わらないことを告げている。若者に資する世代間の連携を超えたところに認められる老人の新たな存在形式として、グレゴール像はシュティフター作品における嚆矢としての意義が認められる。

老年世代と若年世代の連携は、一八四六年に発表された小説『森ゆく人』にも引き継がれた問題である。「森ゆく人〔Waldgänger〕」と呼ばれた老人ゲオルクは、森番ライムントの息子ジミの教育を請け負う。ゲオルクは彼に読み書きや算術を教え、森での自然観察を通じて、広い世界と人間の歴史を見据えた教育を施す。しかし、生計に役立つ学問を学ぶべきだと考える周囲の人々の意見に屈し、ジミは森を去ることになる。物語の末尾では、次のように語られている。「ゲオルクは森番の少年を可愛がっていたが、結局この少年も彼のもとから離れていった――そして彼自身もキーンベルクとホーエンフルトのある地方から立ち去った。森ゆく人がいまどこにいるのか、われわれにも分からない。彼はまだどこかで暮らしているかもしれないし、亡くなったのかもしれない。ともかくわれわれには分からない」〔HKG 3, 1, 200／松村訳、一二八頁参照〕。自らの使命に最善を尽くしたのちに、物語の舞台である森から人知れず消失するという描かれ方は、『高い森』のグレゴールのそれによく似ている。もっとも、『高い森』や『荒野の村』の主人公は若年世代の人物であり、いわば脇役として老人が登場していたのに対して、『森ゆく人』は老人ゲオルクを主人公とする物語である。第一章「森の水辺にて」では、作家の故郷であるボヘミアの森についての長い地誌的描写がなされたのち、この地方にたどり着いたゲオルク、通称「森ゆく人」が森番の息子と知り合い、代父として彼を育て、その教育が終わるまでの過程が描かれている。第二章「森の斜面にて」では、さらに時間を遡り、ゲオルクの生い立ちからコローナとの結婚、子どもに恵まれないという理由での離婚に至るまでの、彼の前半生が記されている。第三章「森のはずれにて」では、ゲオルクとコローナの再会をめぐる逸話を中心に、第二章、第一章の後日談が伝えられている。語り手による追想のかたちでゲオルクの生涯を描いたこの物語は、第一章と第二章の時系列の逆転によって、主人公の成長を追う物語ではなく、老人の足跡をたどる物語となっている。ゲオルクは物語の出発時点において老人であり、第一章末ではジミへの教育の挫折を経験し、第二章末ではかつてのコローナとの結婚生活の挫折が報告される。

後半生と前半生における挫折に彩られた老人ならではは姿には、やはりシュティフターならではの問題が投影されている。アマーリアとの結婚生活への疑問や、嫡子に恵まれなかった悲しみという彼の伝記的要因との関連は、長らく『森ゆく人』の評価を規定し、「悔恨の文学」［Rehm,

317]、あるいは「孤独の文学」[Weiss, 370]と称されてきた。ヴォルフガング・マッツによれば、『森ゆく人』は私的な意味でも文学的な意味でも、シュティフターの発展において、ひとつの転回点となっている。文学的には、以降のシュティフター作品に特徴的な故郷の地誌的風景描写が初めて試みられ、また離婚という醜聞的な結末に対する同時代の圧倒的な批判にさらされたことは、彼が作家として独自の道を歩み出すきっかけとなった。私的な生活面では、社交や世間の流行など、外的世界への諦念の傾向が見え始め、自らの内面を抑圧するものに自身が向き合わざるをえなくなっていた。必然的に周囲からの孤立も著しくなり、友人たちや作家仲間とも体面上のつき合いはしても、実質的に影響を及ぼしあうような交流をしなくなった。このとき四〇代に入った作家は、マッツによれば、すでに老年への境界線上にあり、遠方への憧れの念を強く見せるとともに、学生時代から居住していたウィーンからの逃亡を考えるようになっていた[Matz, 254-260]。

周囲からの孤立や、風景描写を中心とする独特な作風といった、晩年に特徴的なシュティフターの傾向がすでに『森ゆく人』の時点で認められるというこの指摘に対応するように、それまではおもに若年世代のなかで描いていた恋愛や人生の挫折といった問題系が、『森ゆく人』ではゲオルクへと、すなわち老年世代へと移行している。離婚や嫡子の問題はもとより、教育の問題に関しても作家の伝記的要因との連関は見逃せない。家庭教師として長らく生計を立てた後、一八五〇年に上部オーストリア州の督学官に就任したシュティフターは、ゲーテ時代の新人文主義に根差した教育を範とする一方で、教育界の実学重視の傾向には強く反発した。実学志向と袂を分かつ教育観は、ゲオルクのそれの系譜であり、一八五七年に発表された長編小説『晩夏』では、ジミ少年とは対照的に、周囲の反対を押し切って「全般的な学者」〔HKG 4, 1, 18／藤村訳、九頁参照〕となる青年ハインリヒの人生行路が描かれることになる。この青年を導く老男爵リーザッハから看取されるように、「老い」の意識は、かつての激情を後年の相対化された視点から眺める態度であるとともに、教育される側から教育する側への重心の変化となって表れている。

3 逸脱する老人と家庭的秩序

シュティフターが自らの「老い」に言及していると目されるのは、一八四七年の『習作集』第三巻で発表された『曾祖父の書類綴じ』（この単行本版を以下、習作集稿と称す）においてである。同作の冒頭、語り手である「私」が曾祖父の遺品に遭遇する場面では、次のように語られている。

それ〔古い品々を身近において慈しんでいる〕どころか私は、自分自身が老い始めているため、いつの日か孫や曾孫たちが、私の遺品のあいだを歩き回る日が来るだろうと、今から楽しみにしていることがよくある。私は今それらの品を愛情を込めて集めているのだが、それもまた、孫たちの手に移るとともに色あせ、時代遅れの代物になってしまうだろう。老人というのは物事に性急であり、頑固に自分の流儀に固執し、貪欲に死後の名声にこだわるものだが、それは皆、あの世へ行ってもなお、甘美な生を続かせようとする老いた心の暗くやり切れない衝動のなせる業である。しかし、甘美な生が続くことはない。この本人にしてからが、色あせた、無趣味な祖先の遺品を見て、苦笑しながら処分してしまったように、孫たちもまた同じことをするだろう。過ぎさる月日を見つめる物悲しくて甘美な思いのみが、老人に思い出の品々を、しばし手元にとどめさせ、眺め入らせるのだろう〔HKG 1, 5, 11f.／玉置訳、一五一頁参照〕。

ここに認められる「老い」の傾向として、まず世間の相場では「時代遅れの代物」であるにせよ、自身にとっては重要な「思い出の品々」を慈しむ意識が挙げられる。さらに、いまの世代である自分たちの「遺品」を後の世代に受け継がせることへの願いが挙げられ、これは先述の教育される側から教育する側への関心の変化にも対応している。しかし、世間の流行も踏まえ、自身に皮肉めいたまなざしも向けられている。老人の流儀と性(さが)には「心の暗くやり切れない衝動」が潜んでおり、「私」自身が祖先の品々を処分したように、子孫もまたしかりという因果応報は世の常であると、ユーモラスで自虐的な語り口のなかで述べられている。

　われわれはシュティフターの生涯や作品の全体像を概観できる立場にある。「老い始めている」と記された『曾祖父の書類綴じ』習作集稿が発表されたとき、作者は四二歳である。これは彼が文壇にデビューしてから七年後のことであり、実際に死を迎えるのは二〇余年も先のこととなる。すなわち、一八四七年の時点での「老い」の意識は、その端緒にあるという自覚があるにせよ、あくまで想像上の「老い」であるという点も考慮しなくてはならない。古い品々を「愛情を込めて集め」、子孫たちに受け継がれることを「今から楽しみにしている」老人の姿は、どこか楽しげであり、「甘美な生」を生きるだけの生活のゆとりも感じられる。そこには、いずれ到来する老年に対する憧憬の念さえ感じられるのである。

「現在」の葛藤、苦悩を乗り越えたとき、自らにもやがて訪れるはずの理想的な晩年の姿は、先述の『晩夏』において結実する。遅れて到来した「夏」を表題とするこの物語は、老リーザッハ男爵を中心とする「薔薇の館」とそれを取り巻く人々の組織的な営為を描いている。リーザッハは、貧困から身を起こし、家庭教師先の教え子の姉マティルデとの悲恋を経て、官吏として公職に奉じた後、「薔薇の館」で余生を送っている。しかし、彼の人生は時系列に沿ってたどられるものではなく、『森ゆく人』のゲオルクと同様に、その身の上が徐々に明かされていくかたちをとる。時系列に沿って成長し、物語の最後で「薔薇の館」を継承するハインリヒとは対照的に、リーザッハはあくまで老齢の「管理人」、「庇護者」という役どころである。経済的条件が解決された「無憂郷〔Sorgenfrei〕」［HKG 4, 3, 241／藤村訳、四五八頁参照］として、生計のための労働を必要としない教養人たちが集い、教育、学問、園芸、工芸などに勤しむこの館こそ、作者自身が強調しているように、シュティフターにとってひとつの理想の晩年像となる。「薔薇の館」の主人リーザッハは、そこに集う人々の誰とも血縁関係では結ばれていないにもかかわらず、彼を取り巻く人間関係は、家庭的要素に事欠かない。彼のかつての恋人マティルデの息子グスタフは、「薔薇の館」に移り住み、リーザッハを「お父さん」と呼んでいる。その姉ナターリエはハインリヒと婚約を果たした後、リーザッハから遺産相続を受けることに決まり、「薔薇の館」そのものもハインリヒたちを中心とする後の世代に継承されることになる。

『晩夏』のユートピア的「無憂郷」が成立した裏面には、経済的苦境、教育視学官職の罷免、同作に対する読者の無理解など、当時五〇代を迎えた作者が抱える厳しい現実が存在していた。とりわけ嫡子に恵まれない境遇は、彼の尽きることのない苦しみの源だった［Matz, 251］。彼は妻アマーリアの兄の子どもを引き取り、養子として育てており、この伝記的背景は、血縁関係にはないものの、温かく理解のある「家族」に囲まれて暮らす老後像のイメージのひとつの源であろう。だが他方で、別の作品では、孤独な晩年というその陰画的分身にも表現が与えられている。一八五〇年の『習作集』第五巻に収められた小説『老独身者』（雑誌版一八四五年）に登場する「伯父」は、そのような孤独な老人像の典型である。老人が周囲から孤立した地所（この物語では湖上の島）で暮らし、そこを若者（甥のヴィクトール）が訪問し、老人と若者の交流が展開するという筋書きは『晩夏』に類しているが、リーザッハが「家族」のなかで幸福な老後を迎えているのに対し、『老独身者』の「伯父」は孤独で奇抜な老人にとどまり続ける。物語の末尾では、「実を結ばない無花果の木の比喩」［HKG 1, 6, 142／林訳、二七四頁参照］に擬えられた、この「伯父」について次のように述べられている。

青空は幾千年と微笑み続け、大地は古くからの緑に覆われ、そして世代は長い連鎖をなしていちばん年少の子どもにまでいたる。しかし伯父は、彼の存在がいかなる像も形づくらず、彼の子孫がともに時間の流れに乗って下りゆくことがないために、あらゆる世代から抹殺されている。——だが、たとえ彼がもっと別の痕跡を刻んだとしても、これまたすべての地上のものと同じく消え失せてしまう。［HKG 1, 6, 142／林訳、二七四頁参照］

ヴィクトールの伯父のように、結婚せずに孤立の道を選択する老独身者の立場と、結婚し、養子を受け入れていたシュティフターの境遇は、多少なりとも区別される。独身主義の男性〔Junggeselle〕は利己主義者であり、家庭、社会、民族等、いわゆる一般的立場に置かれた人間が果たす義務をなおざりにしているという見方は、一種のトポスとして古くから用いられてきた。法的、社会的観点から見ても、この立場の男性は、一七世紀、一八世紀にドイツ語圏諸国で普及した「老独身者法〔Hagestolzenrecht〕」に代表される、相続法上、税法上の干渉を幾度となく受けてきた。一九世紀後半には、独身主義者に対する冷遇がさらに道徳的論拠や人口統計上の論拠によって根拠づけられる一方で、孤独だが自由であるというそのアンビバレントな立場は、文学的題材としても注目を集めた。市民の家庭的秩序をめぐる議論が、その周縁、外部の立場に置かれた老独身者の人物像を通じて、俎上に載せられたのである〔Vedder, 341 u. 350〕。シュティフターが頻繁に描いた独身主義の男性像は、フェダーが指摘するように、一方で一般的な家族を代替するモデルとなっており、にもかかわらず他方で、かれらの存在も家族的、世代的な連続性に組み込まれている。『晩夏』の「薔薇の館」はもとより――ただし、リーザッハ男爵は一度結婚した後に妻と死別したという設定であり、厳密な意味での「老独身者」ではない――、『老独身者』の湖上の島での「伯父」と使用人たちとの共同生活も、家族を代替するモデルとしての秩序を形成している。そしてハインリヒやヴィクトールといったかれらに続く世代は、結婚し、家庭を築くため、この「老独身者」たちも最終的に家庭的秩序に接続することになる。

『晩夏』や『老独身者』の老人像は、嫡子に恵まれないという作者の伝記的側面から派生しつつも、それだけには還元されない、社会の周縁に位置する存在形式である。一方でリーザッハのような生産的な自由を謳歌する老人が描かれ、他方で、非生産的な孤独を余儀なくされる「伯父」の老独身者像が生まれているのである。後者の場合、ヴィクトールは弟の息子に当たり、両者のあいだには傍系の血縁関係が存在している。ヴィクトールは物語の冒頭において、「誰が結婚するものか。結婚すれば、ばかばかしくもひとりの女に縛りつけられ、鳥かごの止まり木にいる鳥のようになるだろう」〔HKG 1, 6, 13／林訳、一八一頁参照〕と述べ、生涯結婚しない決意を周囲に表明している。この表明ののちに、森の彼方の湖上の島に場面が移り、「老人は家のかたわらに座って、迫りくる死の恐怖におののいていた。もしその老人の姿を一目見る手段があったなら、もうかなり以前から、そうして座っている彼を見ることができただろう」〔HKG 1, 6, 18／林訳、一八四頁参照〕と伯父の姿に言及されているように、孤独を好む性向は、伯父と甥に共通する一種の遺伝的要因であるとみなすことができる。結局のところヴィクトールは、育ての親ルートミラとその娘ハンナからの「愛の贈り物」〔Vedder, 356〕により、家庭生活を志向し、ハンナとの結婚を果たすため、伯父と同じ孤独な運命をたどることはない。しかし、シュティフター作品はこのように結末で事態が好転する物語ばかりではない。一八四七年の『習作集』第四巻に収められた『古い印章』〔雑誌版一八四三年〕では、「名誉の純潔を示す」光る盾をあしらい、「何にもまして名誉を重んずべし」〔HKG 1, 5, 355／林訳、一三八頁参照〕と記された印章が、父の遺品として息子に引き継がれる。息子のフーゴーは、この事物に象徴される「名誉」を重んじる気質や「父親自身の単純で剛直で純真無垢な男の心」〔HKG 1, 5, 345／林訳、一三一頁参照〕をも受け継いでいるが、この性質ゆえに愛する女性との破局にいたり、失意のうちに余生を終えることになる。父から息子に継承された性向が、自身の本心に背く帰結を招いている。このようにシュティフター作品における血縁、遺伝の要素は、負の連鎖に傾くこともある。リーザッハの若年時の苦労や悲恋が、ハインリヒのもとで一切反復されないという『晩夏』の幸福な経過は、両者のあいだに遺伝や血縁が介在しないことが前提になっているとも言える。

遺伝や血縁の影響を回避するかたちで形成された老人と若者の人間関係は、「自然」な、生まれるべくして生まれた関係であるというよりも、むしろ出会い方やつながり方に創意工夫を感じさせ、物語として演出された要素である。そこで最終的に老人が担う役割としては、まず物質的支援が挙げられる。『老独身者』を始めとするシュティフター作品には、子どものいないおじやおばから甥が遺産を相続するというモティーフが非常に多く見られる〔Vedder, 356〕。シュティフターの初期作品においては、『野の花』の主人公アルブレヒトに代表されるように、遺産を与える老人の方ではなく、与えられる下の世代の方にもっぱら作者の自己同一視が図られてきた。しかしいまや、老人像への自己投影に伴い、贈与への意志が増している。依然として作者の経済的問題は解決されたとは言い難く、ことに金銭面での贈与は、作者の理想的自画像の一端にとどまるとしても、事物の贈与に関しては、先述の『曾祖父の書類綴じ』からの引用が告げるとおりである。同様に、教育的な支援に関してはより明白である。これまで取りあげてきた作品のほかに、死の二年前に発表された短編小説『森の泉』は、シュティフターが自身の督学官としての勤務経験を老シュテファン・ハイルクンの人物像に投影し、この老人が孫たちや「野性の少女」ユリアーナの成長を見守る物語となる。次節では、実際に到来したシュティフターの晩年を眺め、そこでは「老い」や老人像の問題がどのように扱われているのかを検討する。

4 想像上の晩年から晩年の想像へ

一八五〇年代末に、シュティフターは次々と親族の訃報に見舞われる。なかでも、一八五九年春に養女ユリアーネがドナウ河から水死体で発見されるという事件は、彼に深い喪失感と孤独感を与えることになった。肝臓等を原因とする体調の悪化もこれに加わり、マッツによれば、以前はどこか若者の素朴さを持ち合わせ、まだ見ぬ将来への期待も抱き続けていた彼が、これ以降は人生を楽しめなくなり、死まで続く最晩年の徴候に苛まれるようになる。『老独身者』や『森ゆく人』で描いた老人の運命が自らにも訪れ、『晩夏』で描いた余生は夢にすぎなかったことを実感したと言われている［Matz, 355f.］。そんなシュティフターにとって、文筆による芸術活動は、残された人生で唯一の希望となっていた。シュティフターは一八六一年一〇月三一日から一一月二日付のグスタフ・ヘッケンアスト宛書簡において、自身の晩年の文筆活動を次のように説明している。「子ども時代から、明瞭化を求めて努力することが私の特徴でした。青年期には事物における明瞭化が求められ、後年には私のなかの明瞭化が求められました。私自身のなかにある不明瞭さは、自分にとってもっとも悩ましい感情なのです」［PRA 20, 19］。ここで告げられているのは、自身の外部にある事物を「明瞭化」するというかつての目的から、自身の内部を「明瞭化」するという現在の目的への変化である。シュティフター作品の老人像はいまや、他者の観察から生じるものではなく、すでに老人となった自身を解き明かす試みとなる。

一八六四年に出版された小説『子孫たち』には、世間との交流を断ち切り、創作活動にひとり没頭する芸術家ローデラーが登場する。彼の下絵に描き込まれ、誰にも見せずに格納された「未完成の線や折れ曲がった線」［HKG 3, 2, 42／本岡訳、二〇三頁参照］は、彼の孤独な、屈折した内面の状態を暗示する。あるがままの現実がもつ「最高の昂揚」〔HKG 3, 2, 65／本岡訳、一二八頁参照〕の表現に自身の絵画が到達しえないことから、結局のところ画業を放棄するこの主人公について、シュティフターは「結局のところ、私自身がローデラーのような人間です」〔PRA 20, 147〕と述べている。画家として、死の直前までひとり野山に分け入っていたシュティフターにとって、現実のなかの「最高の昂揚」を表現するという目標は、自らに課した、決して達成できない目標でもあった。自身のスタイルの完成や周囲との調和といった理想像からは程遠いシュティフターの晩年の姿が認められる。目標の大きさ、やり遂げていないことの多さが実感されたとき、体調の悪化という客観的事実と、作者の主観とのあいだに架橋しがたい溝が生じるのである。

『曾祖父の書類綴じ』第三稿を執筆していた一八六四年のシュティフターの心身は、すでに死へと向かう不可逆の時間の流れのなかにあった。彼は一八六四年四月一四日付のヘッケンアスト宛の書簡において、次のように語っている。

私が自ら鞭打ち、精神に仕えるべき無制限の道具とみなしてきた私の体、その警告をもうかれこれ三年から四年の間、軽んじてきた私の体。私はこの体を精神的作業へと強制してきました。その作業は、迅速かつ楽しくは進まなかったのですが、それで私は自分の体をさらに締めあげ、さらに長いことその状態に放置しました。この体が私に反旗を翻しました。そして私を診察したどの医者も言うように、この体は、完全に正常な状態のすばらしい構成要素ばかりを備えているがゆえに、独自の若返りを企てたのです。私の体は、反撃を開始した一二月以降、古いあり方のすべてを払いのけ、新しいものを生み出し始めたのです。［PRA 20, 187f.］

自らの心身の末期的症状に抗うかのように、シュティフターがたびたび口にしていた全快への確信や身体の「独自の若返り」は、明確な根拠に支えられたものではない。だがそれにもかかわらず、この認識が創作活動の原動力になり、作品のなかでも不思議なまでに「若返り」が記されていく。生前最後の大作である長編小説『ヴィティコー』の結びは、「それから何年もして、ヴィティコーにはさらに大きな喜びごとがあった。それは、いまやヴィティコー一族のものとなった緑豊なクルンメ・アウの地にある岩山の上に、彼の息子であるヴィティコーが城を建て始めたことだった」［HKG 5, 3, 341／谷口訳、第三巻、三七六頁参照］という一節で終わる。本章第二節で取りあげた初期作品『高い森』は、ヴィッティングハウゼン城が三〇年戦争で廃墟となるまでの、すなわちこの城の没落の歴史を題材とした物語だったのに対し、シュティフターは最晩年で、歴史を巻き戻したかのように、この城が築城されるまでの歴史を描いたことになる。

さらに一八六六年に書かれた自伝的断片（『わが生命』）は、「民族の原初の記憶」〔PRA 25, 177／松村訳、一三五頁参照〕にまで立ち返るような自らの根源を描き出す試みである。主客がいまだ未分化である、ディオニュソス的な混沌たる状態から、アポロ的な形式化の原理が作用し、「ママ」や「森」〔PRA 25, 178／松村訳、一三六頁参照〕といった言語が自らのなかで生成していく過程が描かれている。シュティフターは人生の幕引きを迎えつつある時点で、自らには本来見えないはずの自身の始原に向き合う試みのなかで、主観を客観へとすり合わせる、つまり自分の書きたいことを老人らしい円熟の境地でまとめあげ、誰にでも伝わるメッセージとして整える気などない自伝に取り組んでいた。客観的に見て、作者がまだ老人ではなかったとき、彼が主観的に抱き始めていた「老い」の認識は、彼が客観的に老人になったとき、主観的な「若返り」へと移行している傾向が見て取れる。

『高い森』や『晩夏』における老人たちは、若者たちの軌道修正を図り、物語に秩序をもたらしている。かたや『古い印章』や『老独身者』の老人たちは、悪しき秩序とでもいうべき因習や遺伝による束縛や、若者たちの進取の気性に対する制約として降りかかる。秩序への志向は、革命騒動の混乱から立ち直るために、一八四八年後のリアリズム文学において全般的に認められる傾向でもあるが、シュティフターの「若返り」の意識と晩年のスタイルは、老人像としてひとたび形成された秩序を生産的にかく乱する。不幸の意識は、彼をふたたび出発地点に立たせ、彼にたえざる前進を促すことになるのだ。

シュティフター最晩年の作品において、それ以前は老人像の形成要因となっていた自身の「老い」の意識は解体され、テキストの随所に垣間見えることはあっても、明瞭に閉じた領域を形成しない。かりに老人の登場人物であっても、それは若年世代から峻別される「老い」の体現者であるとは言い難いのである。（ただし、浩瀚な歴史小説『ヴィティコー』には例外も認められる。一二世紀のボヘミア地方の政治史に取材した同作には、老年世代の人物が多数登場し、ボヘミア大公国の後継者をめぐる争いのなかでヴィティコーを始めとする若年世代の人物と関係する。老人は懸念を抱き、若者は喜びを望むものである〔HKG 5, 1, 240／谷口訳、第一巻、二六一頁参照〕という世代的な対比もいまだ記述されている。）『わが生命』の一人称の語り手は「老いた」シュティフターであり、例えば、「自分がまたもや恐ろしいもの、破滅的なもののなかにいた」〔PRA 25, 179／松村訳、一三七頁参照〕という記述から彼の心身の危機を推測することは可能だとしても、この語り手が「老人」であることを特定できる要素は作中に見当たらない。本章第三節の冒頭でとりあげた『曾祖父の書類綴じ』習作集稿では、老人の所業と世間の認識とのずれに言及されていた。その一八年後に書かれた同作の第三稿、および二〇年後の最終稿では、老人と世間との対比はもはや問題にならず、「世俗化された聖遺物」〔Grätz, 164〕の扱いを受けている祖先の遺品に粛々と向き合う、語り手とその家族の姿が描き出されている。その際、自分たちとは温度差のある世間の存在は語り手の眼中になく、自身が老人であることすら度外視されているように見える。

もっとも、最晩年の作品においても、女性の老人像は例外となる。初期作品『荒野の村』から最晩年の『森の泉』のユリアーナの祖母に至るまで、老女は作者の自己投影の圏外に置かれ、異質さを示す老人としての閉域を形成している。このユリアーナの祖母に対して、『森の泉』のシュテファン・ハイルクンは、男性の老人である。この物語では、彼が若年世代を幇助し、若年世代のフランツとユリアーナが最後に結婚するというシュティフター作品に見られがちな筋書きが維持されているが、若年世代間の交流以上に、ユリアーナとシュテファンの親密な交流が前面に出ている。この交流はアイコンタクトやボディタッチを交えて展開され、シュテファンが「〔ユリアーナへの〕この甘く、これまで知らなかった、私の人生の最後に与えられた感情」〔HKG 3, 2, 130／林訳、二六三頁参照〕について神に感謝を捧げているように、恋愛とも呼びうる、両者の蜜月関係が描かれている。

「老い」は「若さ」という対立軸が存在してこそ成立しうる感覚である。この参照項を身近なところに見出すことが、自身の「老い」を実感する機縁になるとすれば、シュティフターのなかでの「老い」の解体は、それだけ彼が「孤独」な境遇にあったことをも示唆している。一八六六年四月八日付のヘッケンアスト宛の書簡においてシュティフターは、「あなたに課された〔離婚という〕厳しい試練の後に、神はこの〔＝男親であるヘッケンアストが二人の子どもを託されるという〕幸運を授けてくださるのでしょう。そして子どもがなく、血縁の後継者の人格形成に対してまったくと言っていいほど影響を及ぼすことができない私に、神は、あなたの子どものなかで少々生き続けることができる喜びを与えてくださるのでしょう。それゆえ私は、妻に先立たれた場合には、自分の死後、あなたの子どもたちに私の自伝が与えられるよう遺言に記し、私の一番下の弟ヤーコプに、この手稿をあなたの子どもたちに手渡すよう頼みました。かれらにとってこの手稿が、そこに記された言葉に込められた私の感情や私の心の記念碑となってほしいのです」〔PRA 21, 195f.〕と述べている。最晩年の自己省察の成果である『わが生命』の手稿が、次世代に「記念碑」として、ひいては「人格形成〔Bildung〕」に役立つものとして継承されることへの願いを記しているシュティフターは、まさしく彼が描いた教育的な老人のような姿を呈している。とはいえ、現実に老いた作家が、老人らしさを示すためにかろうじて見出した「若さ」の体現者は、おそらく直接の面識はない、出版者の子どもだった。

シュティフターが初期作品から主題化してきた老年世代と若年世代の連携は、若年世代の教育を目的とする方策であるばかりでなく、これは実際、老年世代を救う手立てでもある。伝統的に否定的通念に支配されてきた老人女性、もしくは老独身者は、この連携により孤立無援の状態を脱し、家庭的秩序や後代へ接続することになる。シュティフターの老人像は、他者の観察、他者についての言説に起因しながらも、やがて老人男性像には自己省察の成果が加わる。

しかし、この省察が「晩年のスタイル」として現前するとき、「老い」の階梯的な秩序は突破される。老人から若者へ、すなわちある人物から別の人物へとスライドする仕掛けは、いまやひとりの作家の内面において遂行され、原点に立ち返る物語・自伝や「若返り」を秘めたひとりの登場人物として出現している。

参考文献

Stifter, Adalbert: *Werke und Briefe. Historisch-kritische Gesamtausgabe.* Im Auftrag der Kommission für Neuere deutsche Literatur der bayerischen Akademie der Wissenschaften, hrsg. von Alfred Doppler und Wolfgang Frühwald. Stuttgart/Berlin/Köln/Mainz: W. Kohlhammer 1978ff. [HKG]

Ders.: *Sämtliche Werke.* Begründet und hrsg. mit anderen von August Sauer. Fortgeführt von Franz Hüller, Gustav Wilhelm u. a. Prag: Calve 1904ff., Reichenberg: Kraus 1925ff., Graz: Stiasny 1958ff., Reprint: Hildesheim: Gerstenberg 1972. [PRA]

＊シュティフターの邦訳作品は、以下を参照した。

磯崎康太郎訳『高い森』、磯崎康太郎編訳『シュティフター・コレクション四　書き込みのある樅の木』、松籟社、二〇〇八年、七―一四四頁。

谷口泰訳『ヴィティコー』全三巻、書肆風の薔薇、一九九〇―一九九二年。

玉置保巳訳『荒野の村』、高木久雄他訳『シュティフター作品集』第一巻、松籟社、一九八三年、三五―六四頁。

玉置保巳訳『曾祖父の遺稿』、高木久雄他訳『シュティフター作品集』第一巻、松籟社、一九八三年、一四九―三一〇頁。

林昭訳『古い印章』、高木久雄他訳『シュティフター作品集』第二巻、松籟社、一九八三年、一二九―一七七頁。

林昭訳『森の泉』、高木久雄他訳『シュティフター作品集』第三巻、松籟社、一九八四年、二四〇―二七一頁。

林昭訳『老独身者』、高木久雄他訳『シュティフター作品集』第二巻、松籟社、一九八三年、一七九―二七四頁。

藤村宏訳『晩夏』、集英社版世界文学全集三一、集英社、一九七九年。

松村國隆訳『森ゆく人』、松村國隆訳『シュティフター・コレクション三　森ゆく人』、松籟社、二〇〇八年、九―一二九頁。

松村國隆訳『わたしの生命――自伝的断片』、松村國隆訳『シュティフター・コレクション三　森ゆく人』、松籟社、二〇〇八年、一三一―一三九頁。

本岡五男訳『子孫』、高木久雄他訳『シュティフター作品集』第三巻、松籟社、一九八四年、一九一―二三九頁。

Grätz, Katharina: *Musealer Historismus. Die Gegenwart des Vergangenen bei Stifter, Keller und Raabe.* Heidelberg: Universitätsverlag Winter 2006.
Gunreben, Marie: Alter. In: Begemann, Christian/Giuriato, Davide (Hrsg.): *Stifter-Handbuch. Leben – Werk*

– *Wirkung*. Stuttgart: J. B. Metzler 2017, S. 346-349.

Kunisch, Hermann: *Adalbert Stifter. Mensch und Wirklichkeit. Studien zu seinem klassischen Stil*. Berlin: Duncker & Humblot 1950.

Liess, Kathrin: »Der Glanz der Alten ist ihr graues Haar«. Zur Alterstopik in der alttestamentlichen und apokryphen Weisheitsliteratur. In: Elm, Dorothee/Fitzon, Thorsten/Liess, Kathrin/Linden, Sandra (Hrsg.): *Alterstpoi. Das Wissen von den Lebensaltern in Literatur, Kunst und Theologie*. Berlin/New York: Walter de Gruyter 2009, S. 19-48.

Matz, Wolfgang: *Adalbert Stifter oder Diese fürchterliche Wendung der Dinge. Biographie*. München/Wien: Carl Hanser 1995.

Rehm, Walther: Stifters Erzählung *Der Waldgänger* als Dichtung der Reue. In: Ders.: *Begegnungen und Probleme. Studien zur deutschen Literaturgeschichte*. Bern: Francke 1957, S. 317-345.

Vedder, Ulrike: *Das Testament als literarisches Dispositiv. Kulturelle Praktiken des Erbes in der Literatur des 19. Jahrhunderts*. München: Wilhelm Fink 2011.

Vedder, Ulrike/Willer, Stefan: Alter und Literatur. Einleitung. In: *Zeitschrift für Germanistik* NF XXII (2012), Heft 2, S. 255-258.

Weiss, Walter: Adalbert Stifter. *Der Waldgänger*. Sinngefüge, Bau, Bildwelt, Sprache. In: *Sprachkunst als*

Weltgestaltung. Festschrift für Herbert Seidler. Hrsg. von Adolf Haslinger. Salzburg/Müinchen: Anton Pustet 1966, S. 349-371.

金澤哲「アメリカ文学における「老い」の政治学――その背景と意義」、金澤哲編著『アメリカ文学における「老い」の政治学』松籟社、二〇一二年、一一―二七頁。

第5章　時間／時代への抵抗
――フランツ・カフカ『田舎医者』に見る老いと死

川島隆

1　老いと死を書くカフカ

カフカは老いを経験してはいない。周知のように、若くして肺結核を発病し、四一歳を目前に世を去ったからである。しかも、バタイユが早くから指摘したように、カフカの文学は「幼児性」を一つの特徴とする。成熟を拒絶すること、大人の世界に組み入れられて生きる人生から逃れつづけること。そこにカフカの本質があるのだとすれば、豊かな人生経験を積んだあげくに老境に至って確立されるスタイルという問題圏からカフカほど縁遠い作家はいないと言えるかもしれない。

しかし、カフカは老いと死というものを強く意識していた。とりわけ、早くに訪れた晩年に彼が書いた一連の寓話的な味わいの物語は、間近に迫った死を視野に入れつつ、自らの人生を振り返って総括しているかのような趣がある。最後の短編集『断食芸人』（一九二四年）に収録された『断食芸人』や『歌姫ヨゼフィーネ、またはネズミ族』といった芸術家モチーフの短編はもとより、ブロートが『ある犬の探求』と名づけた犬物語（一九二二年）やブロートが『巣穴』と名づけた断片（一九二三年）などは、研究史においては一種の自伝として読まれてきた。最初期の断片『ある闘いの記録』のある種の饒舌な語りと比較すると、後期のカフカが禁欲的なまでに言葉を削り落としていく「断食芸」としてのスタイルを確立していったプロセスが浮かび上がる。

興味深いことに、そのような寓話的手法の物語は、一九一七年夏の肺結核発病以前から見られる。あたかも、自らの病気と死を予見していたかのように。その最も早い例の一つが、『法律の前』である。この掌編は、カフカが一九一四年から翌年にかけて主に執筆した未完の長編『訴訟』の「大聖堂」の章に組み込まれていたもので、一九一五年九月にプラハのシオニスト週刊誌『自衛』に掲載され、一九二〇年出版の短編集『田舎医者』に収録された。

法律の前に門番が立っている。門番のところに田舎から男がやって来て、法律の中に入れてくださいと頼む。ところが門番は、今は入れてやれないと言う。男はあれこれ考え、またあとで入れてもらえるのですかと尋ねる。「そうかもしれん」と門番は答える。「だが、今はだめだ」。〔Kafka 1994, 267〕

門そのものは開け放たれているが、門の中にはさらに数多くの門があり、奥に進むにつれて門を守る門番はどんどん強くなっていくと第一の門の門番は語る。田舎の男はその話を聞いて恐れをなし、門に入るのをためらう。

田舎から来た男は、そんなに大変だとは思っていなかった。法律とは、いつでも誰でも入れるものだと聞いてたのにと男は思う。しかし、毛皮のコートを着た門番の姿を改めてしげしげと眺め、大きな尖った鼻やタタール人風のまばらで長い黒ヒゲを見るにつけ、やはり入っていいと許可が下りるまで待とうと決心する。門番は男に腰かけを貸し、扉の脇のほうに座らせる。男はそこで何日も、何年も座っている。〔Kafka 1994, 267-268〕

田舎の男は門番がうんざりするほど頼みつづけ、自分の持ち物もすべて賄賂として門番に渡してしまうが、門番は形式的かつ官僚的な態度で男の要望を聞き流し、事態は何も進展しない。

そのうち男は老境にさしかかり、知力も五感も衰えてくる。

長い年月のあいだ、男はほとんど門番から目を離さず、観察しつづける。他の門番たちのことは忘れ、この一人目が、法律の中に入るのを阻む唯一の障害のような気がしてくる。最初の何年かは、ツキがないと大声で毒づく。あとになって年を取ると、一人でブツブツ文句を言うだけになる。子ども返りする。長年にわたって門番を研究してきたおかげで、毛皮の襟にいるノミどものことも知り尽くしていたので、助けてください、門番の気を変えさせてくださいとノミにまでお願いする。とうとう目がかすんできて、本当にあたりが暗くなったのか、目の錯覚でそう見えるだけなのか分からなくなる。〔Kafka 1994, 268-269〕

ここで急展開が訪れる。老衰による死を目前にした男に対し、門番は一つの衝撃的な事実を告げるのだ。

ところがその暗がりの中で、法律の扉から一条の光がさしてくる。消えない光だ。もう命は長くない。死ぬ前に、これまで経験したことすべてが頭の中で集まり、一つの問いになる。まだ門番に訊いてみたことがない問いだ。門番に手で合図する。どんどん体がこわばってきて、もう立ち上がれないから。門番は、男のほうに深く身をかがめてやる。男が縮んだせいで、ずいぶん身長差が開いていたのだ。「この期に及んで何が知りたいのだ」と門番は言う。「懲りないやつだな」。「みんな法律を求めている」と男は言う。「なのに、この長い年月、私以外は誰も中に入れてくれと言いにこなかったのは、なぜだ」。門番は、男がもう臨終なのを悟り、弱っていく耳に届くように大声でどなる。「ここには他の誰も入れなかった。ここはおまえだけの入口だった。そう決まっていたんだ。じゃあ、もう行くぞ。門を閉めなくては」。［Kafka 1994, 269］

「法律の門」とは何のメタファーなのか。なぜ男には自分専用の入口が用意されていたのか。男がその門に入れずに終わるのはなぜなのか。それらの疑問点に関して研究者たちの意見は一致を見ていない。そもそもこの物語が最初に『訴訟』の一部として書かれた際、作中でこの物語を語る僧侶とヨーゼフ・Ｋのあいだで交わされる解釈問答の中で、この物語は解釈不可能であるということが話題になっている。ゆえに、この物語はそもそも特定の解釈可能なメタファーを提示した寓話ではなく、デリダが言うように、法というものは自らの由来を隠蔽し、意味の開示をひたすら引き延ばすことによって権力性を帯びるものだということ以外は何も言っていないのかもしれない。

ただ確実なのは、これが老いと死を描いた物語だという点である。自分が自分の人生においてまだ核心にたどり着いていないという感覚、大切な一歩を踏み出せていないという気持ちを、カフカは常に抱いていた。人生も残りわずかになった一九二二年一月二四日の時点で、彼は「生まれる前のためらい。魂の遍歴というものがあるなら、ぼくはまだその最下段にも達していない。ぼくの人生は、生まれる前のためらいだ」［Kafka 1990, 888］と日記に書いている。そのような、自分が何かしら大切なものへ到達できないまま時間の流れに置いていかれているのではないかと感じるもどかしい感覚を結晶化させた寓話として『法律の前』を素朴に読む可能性は、誰にとっても開かれている。その感覚をカフカは病魔に侵されて死の可能性に直面してはじめて知ったわけではなく、早い段階で身に着けていたのだった。

そして老いと死のモチーフは、『法律の前』だけでなく、短編集のタイトルになっている『田舎医者』にも影を落としている。周知のようにカフカは自作の出来栄えに対してきわめて厳しく、自作原稿の大半の焼却を親友マックス・ブロートに遺言したが、『田舎医者』に関しては一定の自信を示しており、「幸福感」は無理でも「つかのまの満足感」ならば覚えることができる［Kafka 1990, 838］と条件つきながら認めた。カフカ中短編の代表作と言うべき作品である。本章ではこの短編を精読することで、カフカがどのような時間感覚を自作中で展開しており、それが老いと死のモチーフとどのように関連しているかを見ていきたい。

2　過去と現在の揺らぎ

『田舎医者』は夢の世界を強く連想させる物語である。もとよりカフカは夢というものに強い関心を抱き、しばしば夢日記をつけていたが、同作はその彼の作品の中でも特に夢への親和性を感じさせる。かつて同作の研究史においては、精神分析的な手法により作中のあからさまに性的なモチーフを分析する研究や、構造主義／ポスト構造主義的なアプローチが主流だったが、ゲルハルト・クルツがこの物語は「夢の技法」で書かれている〔Kurz, 120〕と喝破して以降、どのような語りの特性がそのような性格を作り出しているのかを分析する研究も盛んになっている。

物語は一人称の語り手によって語られる。医師である「私」は夜中に急患で呼び出され、猛吹雪のなか一〇マイル離れた村に行かなければならないが、馬車につなぐ馬がおらず困っていたところ、ボロボロの豚小屋から突然二頭の馬が現れ、しかも馬丁まで現れて馬車に馬をつないでくれる。女中と二人で喜んでいると、馬丁はいきなり暴力的な本性を現し、女中に襲いかかる。「私」は後のことを気にしながらも馬車に乗り、すさまじいスピードで運ばれ、瞬時に患者の家に到着する。――現実的なことと現実ではありえないことが混ざり合い、これが現実だと思っていたものが唐突に何か別のものへと姿を変える点や、ありえないはずのことを「私」があっさり受け容れてしまい、さほど疑問を感じていない様子である点や、行き先を知らないまま、自分ではどうにもならない力でどこかに運ばれていく感覚などが、まさに典型的に夢の特徴を示している。

この物語における時間感覚というテーマを考えるにあたっては、時制の問題を避けては通れない。マンフレート・エンゲルは、この物語の大半が現在形で書かれている点や、一切改行がなく作品全体が一つの段落でできている点に夢ならではの畳みかけるような迫真性を見て取った［Engel, 251］。これに対してシュテファニー・クロイツァーは、むしろ語りが「現在形と過去形のあいだを行ったり来たりする」不安定さを夢らしさとして解釈している［Kreuzer, 603］。たしかに、この小説は冒頭の過去形から現在形へと推移し、末尾近くで過去形に戻り、最後はまた現在形で語られる。しかし、とりとめもなく時制の移動が起こるわけではなく、そこには明確な基準があるように思われる（念のために言い添えるならば、カフカが意識的にそのような時制の移行を操作していると主張したいわけではない。この作品は、上述のように一切改行がない点などを鑑みると、おそらくカフカが『判決』（一九一二年）以降に身に着けた一気呵成に書くスタイルで書かれたものだと思われる。時制の移行も、おそらく無意識のうちに起こっているのだろう）。さらに、カフカならではの時制の用い方の特徴［川島b、一一一頁］が、そこには必然的に関連してくる。以下ではその点をまず確認しておきたい。

カフカの過去形は、厄介である。彼はもとより「体験話法〔erlebte Rede〕」ないし自由間接話法を好んだ小説家である。これは、三人称の過去形で綴られる地の文の中に、登場人物のリアルタイムな心の声を紛れ込ませるという手法であり、カフカが私淑していた一九世紀フランス文学の巨匠フローベールが多用したことで知られる。心の声の表現としては、体験話法は二〇世紀に入ってから一般化する「内的独白〔innerer Monolog〕」、つまり一人称の現在形で書かれる「意識の流れ」とも互換性があり、カフカも内的独白を用いることが皆無ではないが、圧倒的に体験話法で書いていることの方が多い。体験話法と地の文を見分ける指標となるのは、感嘆符や疑問符など、発話的な性格を示す要素があるか否かであるが、明確な判断基準となるものがないケースも少なくない。たとえばカフカが残した三つの未完の長編などは、明らかに体験話法と受け取るしかない部分と、もしかすると体験話法かもしれない部分だけで構成されていると言っても過言ではないのである。――そしてカフカの場合、一人称と三人称の差異は絶対的なものではない。カフカが最後の長編『城』（一九二二年）を一人称形式で書き始め、四〇頁ほど書いたところで「私」を三人称の「K」に直すことにした（SA 66）経緯は、よく知られている。カフカが一人称の過去形で書いているとき、それは彼が書く三人称の過去形の文章と互換性があるのである。

実際、『田舎医者』の冒頭部分は、三人称ではなく一人称で書かれてはいるものの、体験話法的なものとの親和性を感じさせる。

私は大変困っていた。緊急の旅に出る直前だった。一〇マイル離れた村で、重病患者が私を待っていたのだ。激しい吹雪が、私と患者を隔てる広大な空間を埋めていた。馬車はあった。軽量で車輪が大きく、当地の田舎道でもちゃんと走るやつだ。毛皮にくるまり、往診鞄を手に、私はもう旅支度を終えて中庭に立っていた。ところが馬がいない。馬が。〔Kafka 1994, 252〕

『田舎医者』の時制を分析したドリット・コーンは、冒頭部分を「伝統的な一人称の語り」による「ごく普通の過去形」と呼んでいる〔Cohn, 146〕が、それはやや疑問である。この箇所が、過去に起こったできごとを一定の時間間隔を置いて回想しながら語っているように見えるだろうか。特に、「馬がいない、馬が〔das Pferd fehlte, das Pferd〕」と訳した部分は、「馬がいなかった、馬が」と回想的に訳すと、どこか間が抜けて聞こえるのではないか。「馬」という単語の反復が、ある種の発話的な性質を感じさせるからである。むしろ、冒頭部分全体を「私」の現在進行中の心の声と捉え、「私は大変困っていた」ではなく「私は大変困っている」と訳していった方がはるかに自然であろうようにさえ思える。とはいえ、全体をそのように訳すと、一箇所だけ実際に現在形で書かれている「無理もない、こんな時に、こんな用事のために自分の馬を貸してくれる人がいるだろうか？〔natürlich, wer leiht jetzt sein Pferd her zu solcher Fahrt?〕」〔Kafka 1994, 252〕という一文との差異を表現できない。その差異は日本語には翻訳不可能でさえある。

そしてまた、カフカの現在形も同じくらい厄介である。もともとドイツ語の現在形は多義的だが、習慣的現在や歴史的現在、普遍的かつ不変の真理を述べる現在形、実質的な未来形としての現在形、そして内的独白といった意味の幅を、カフカはかなり自由に行き来する。コーンは『田舎医者』のうち現在時制で書かれた部分について、状況説明をしている地の文に近い箇所と、内的独白と理解すべき箇所が複雑に入り混じっていることを指摘している〔Cohn, 148〕。つまり、過去形でも現在形でも、カフカの書くものは地の文と心の声のあいだの揺らぎを含んでおり、そこにはやはり一種の互換性があるのだと言える。

『田舎医者』の冒頭部分で過去形から現在形への移行が起こるときも、一見すると、その前後で根本的な変化が生じているようには見えない。

「手伝ってやりなさい」と私は言い、女中はいそいそと早足で馬丁に馬車の道具一式を渡しにいった。ところが、彼女が近づいたとたん、馬丁は彼女を抱きしめ、彼女の顔に顔を押しつける。彼女は悲鳴をあげ、私のところへ逃げてくる。赤い歯形が二列、女中の頬についている。

「彼女が近づいたとたん〔Doch kaum war es bei ihm〕」まではまだ過去形だが、同じ文のコンマのあとの「馬丁は彼女を抱きしめ、彼女の顔に顔を押しつける〔umfaßt es der Knecht und schlägt sein Gesicht an ihres〕」はすでに現在形に切り換わっている。この移行は目立たないが、何か変わったものがあるとすれば、語られるできごとに対する微妙な心理的距離だと言うしかあるまい。最初は無害に見えた馬丁がいきなり豹変して女中＝ローザ〔Rosa〕に襲いかかる場面以降、読者は、「私」が語る苦境がいつのまにか過去のできごとではなくなり、目の前にある現在として圧迫感を強めていく過程を見守ることになる。

3　時間／時代の圧迫

この世のものならぬ馬たちの引く馬車に乗って瞬時に患者の家に到着した医師は、最初は健康に見えた青年患者の腰に「薔薇色〔rosa〕」の傷〔Kafka 1994, 258〕を発見する。周囲の人々は、患者を癒すためと称して寄ってたかって医師を裸にし、患者に添い寝させる。無力な医師に対して不信感をあらわにする患者を、医師は口先で言いくるめようとする。

「若き友よ」と私は言う。「きみの欠点は、視野が狭いことだ。ありとあらゆる病室を渡り歩いてきたこの私が教えてやろう。きみの傷はそんなに悪いものじゃない。鋭い角度で斧を二撃、それでこんな傷ができる。脇腹が無防備な人は多いし、森の中では斧の音は聞こえにくい。ましてや、斧が近いかどうかなど分からない」。「本当にそうなの、それとも熱に浮かされたぼくを騙してるの」。「本当にそうなのさ。公務員の医師が誓って言う言葉だ。信じて逝きなさい」。すると彼は信じ、静かになった。〔Kafka 1994, 260〕

「すると彼は信じ、静かになった〔Und er nahm's und wurde still〕」。この一文で語りは過去形に戻る。患者が動かなくなったのを見計らい、裸のまま衣服をかき集めて窓から忍び出て馬の背に飛び乗る「私」の行動は、これに続き、そのまま過去時制で語られることになる。物語の冒頭において、できごとの切実さの圧迫が現在時制を要求するのだとすれば、医師が患者のベッドの中で自らの無能さを突きつけられる最も困難な局面が患者の死をもってどうにか過ぎ去り、緊張が解けた瞬間に、また現在時制から過去時制への移行が起こることには首尾一貫性がある。ここには、迫りくる「現在」に対して身をすくめ、消極的抵抗を試みる「私」という構図が見え隠れしている。

注目すべきことに、ここで「私」が「現在」という時間軸に対して試みている抵抗は、同時に、「現代」という時代に対する抵抗の様相も帯びている。たとえば、診察当初は自ら死を願っていたにもかかわらず、自分のむごたらしい傷を見て動揺し、一転して「ぼくを救ってくれる?」[Kafka 1994, 258] と助けを求めてくる青年患者や、期待に満ちた患者の家族のありさまに直面した医師は、自分が置かれた苦しい立場を、今の時代に対する批判につなげる。

私の担当地域の連中は、いつもこうだ。医者に不可能なことを要求してばかり。連中は古い信仰は失ってしまった。司祭は家に引きこもり、ミサ用の式服を次々とむしってボロボロにしている。なのに医者は、外科手術をするか細い手で何でもかんでもやってのけることを期待されるわけだ。まあ、なるようになるさ。こちらが申し出たわけじゃない。おまえらが私を神聖な目的のために使い倒すなら、その流れに身を任せるまでのこと。自分の女中すら取り上げられた老いぼれの田舎医者には、それが分相応だ。[Kafka 1994, 258-259]

ここで「古い信仰」がやや唐突に話題になるのは興味深い。物語中の文脈では、患者を救う手立てをまったく持っていない「私」の言葉はあからさまな責任逃れに聞こえるが、その言葉が、既存の宗教が形骸化して求心力を失い、代替の精神的支柱がもとめられている現代というテーマと交差してきているのは無視できない。ニーチェ以降のヨーロッパ社会において、このテーマは巨大な流れを形成しており、もちろんカフカもそれに触れていた。引用中の「司祭〔Pfarrer〕」はキリスト教の概念であるが、カフカ本人は、一九世紀にユダヤ人解放をもたらしたリベラリズムの流れの中でドイツ文化に同化した父親世代がユダヤ民族のルーツから離れていっていることへの反発から、同時代のさまざまな「反リベラル」の動きの一つとしてのシオニズムに関心を寄せていた〔Spector, x〕。とりわけ第一次世界大戦中の時期、先に触れた『自衛』のようなシオニスト雑誌を購読し、そこに寄稿したりしていたのは、その関心の表れである。

これに関連して、カフカが短編集『田舎医者』を当初は別の表題で刊行しようと考えていた事実を視野に入れたい。カフカは一九一七年、親友マックス・ブロートの仲介で、第一次世界大戦中にマルティン・ブーバーが創刊したシオニスト雑誌『ユダヤ人』に寄稿することになり、その候補として、のちに大半が短編集『田舎医者』に収録されることになる一二作品をブーバーに送った。最終的にブーバーは『ジャッカルとアラブ人』『あるアカデミーへの報告』の二編を選び出して同誌に掲載することになるが、その過程でカフカは、一九一七年四月二二日のブーバー宛の手紙で、自らの短編集を『責任』と名づける構想を述べているのだ〔Kafka 2005, 297〕。ブーバーの宗教思想・民族思想とカフカの近さを強調するリッチー・ロバートソンは、このエピソードを最大限に重視し、カフカが「責任」という問題に関心を寄せていたことに、従来は社会に対して関心を閉ざしがちで、シオニズムに対しても距離があったカフカの「社会に対する関係の変化」を見て取っている［Robertson, 135］。そして、短編『田舎医者』こそ「最も明白に責任という問題に焦点を合わせた」作品であると評した［Robertson, 180］。

もちろん、この短編をシオニズムに関連づけて寓話的に解釈するのが「正しい」解釈だと主張するつもりはない。カフカはおそらく意識的に『田舎医者』作中に寓話的要素を盛り込んだわけではないだろう。あたかも夢日記のような、とりとめもない印象を与えながら、ところどころ時代状況を風刺した寓話のようにも読めてしまう物語に結果的になっている両義性が、この短編の最大の特徴なのである。ゆえに、『田舎医者』に作者の社会的責任への目覚めの契機のみを見るとすれば、それは素朴にすぎる解釈だろう。文字どおり「責任」から逃れようとして裸のまま患者の家の窓から忍び出る医師の姿が肯定的に描かれているとは思えないが、その姿を批判的に描くことによって時代が求める社会的責任の自覚を読者に促すような文学をカフカが書いているとも到底思えない。この短編の語りは、状況の圧迫によって追い込まれていく「私」の視点にあまりにも密着しているからだ。そこでは、時間／時代に抵抗しながらも挫折しつづける敗北者の姿が浮かび上がっている。

４　ユダヤ青年運動としてのシオニズム

いずれにせよ、作中の「私」があえて老人として設定されており、対する患者が若者であることが強調されている点に着目するのが、本章のテーマにとっては有益だろう。カフカが生きた時代は、カウンターカルチャーとしての青年運動がヨーロッパの若者たちのあいだで盛り上がった時代である。マーク・アンダーソンが文化史的な研究において明らかにしたように、カフカは自らの父親が商う「ファンシーグッズ」に象徴される資本主義の世界やブルジョワ趣味への対抗軸として青年運動的なものに強い関心を寄せていた〔Anderson, 23〕。そして当時、カフカの住むプラハでは、シオニズムといえば若者の運動であると理解されていた。ユダヤ人国家設立という政治目標よりもユダヤ精神の復興という文化的な方面の主張を前面に出したブーバーの「文化シオニズム〔Kulturzionismus〕」は、ローマ帝国に抵抗したユダヤ民族の英雄の名を冠するプラハのシオニスト団体「バル・コホバ〔Bar Kochba〕」を介して、プラハのユダヤ系知識人に多大な影響を与えた〔Spector, 147〕。そしてブーバーは、もともと神秘思想や東洋思想の研究紹介を通じ、文明批判的な志向のドイツ青年運動の文脈で高い人気を誇った思想家である。ゆえに彼の文化シオニズムは、同時代の青年運動ときわめて親和性が高かった〔Maor, 200〕。それは、いわばドイツ青年運動の言語をユダヤ民族思想の言語へと翻訳しようとする試みだったのである。

一例として、ブーバーがユダヤ人の若者にシオニズムへの参加を呼びかけた一九一八年五月の論説『シオンと青年』を見てみよう。ここでブーバーは青年期というものを「人類永遠の幸福チャンス」と呼び、ユダヤ人青年が自らの担うべき使命を自覚するよう熱っぽく訴える。その使命とは、人類史上で繰り返し訪れる危機の時代に際し、必要な改革・刷新の原動力となることである。

我々は、先に述べた〔危機の〕時代のうち一つにいる。しばらく前から、時代の呼び声が、転機の呼び声が青年たちの耳に届いている。しかし彼らはその声を聴き取れていない。遠くから聞こえる音のように奇妙にくぐもっており、命令しているのではなく、口をふさがれたまま助けを求めて叫んでいるように聞こえるからだ。[Buber, 100]

ここでブーバーは、狭義のナショナリズムや愛国心を退け、「人類」全体の精神的な向上に至高の価値を見出す宗教思想を説く。このような普遍主義はブーバーの思想の最大の特徴であり、ドイツ青年運動においてもユダヤ青年運動においても彼の説く理念が好意的に受け容れられた理由でもある。あくまでこの普遍主義を前提に、ブーバーは「時代の呼び声」がユダヤ人青年を動かすことを期待しつつ次のように語る。

> 我々が生きているのは、決断の時代である。人類のための決断、諸民族のための決断、そしてユダヤ民族のためのまったく特別な決断。ユダヤ民族の運命が今、決まる。ユダヤ民族が今、自らの運命を決めようとしているのだ。そして、時代から響く人類の声があらゆる民族の青年に炎の舌でもって語りかけ、挫けるな、抗え、身を守れ、なすべき行いをなせと青年に呼びかけるのと同じく、ユダヤの声が青年に、抗え、身を守れ、自分の特別な、自分だけに割り当てられた行いをなせと呼びかける。〔Buber, 102-103〕

ここでブーバーが言うように、文化シオニズムの文脈において民族への奉仕、ひいては人類への奉仕が個々人にとって「自分だけに割り当てられた行い」であると位置づけられていた事情を鑑みるならば、なぜカフカの『法律の前』がシオニスト雑誌『自衛』に掲載されたのか、その理由の一端が見えてくるだろう。この物語の中で到達不可能なものとして位置づけられている「法律〔Gesetz〕」を宗教的な「律法」として読めば、これはほかでもなく、精神的なシオニズムに参加して「自分だけに割り当てられた行い」をなすことをためらった結果、人生を棒に振った男の物語として読めるからである。

カフカはブーバーと同じように、東欧で伝統的な生活を守る「東方ユダヤ人」に対して、西欧の近代市民社会に同化した「西方ユダヤ人」は根なし草の不安定な存在だと感じており、何らかの救済が必要だと考えていた。だとすれば、ブーバーの主張に共感してもよさそうなものだが、実際にはカフカの態度はかなり冷淡だった。かねてから東欧出身のユダヤ人劇団がイディッシュ語（ドイツ語にスラヴ系の言語やヘブライ語の要素が混淆した言語）で演じる演劇に強い関心を寄せ、劇団員らと親しく交流していたカフカにとって、前近代的な生活風習に縛られた東欧のユダヤ人たちの存在をあくまで抽象的な理念に還元してしまうブーバーの理想論は、いかにも物足りなかった。一九一三年一月一六日の恋人フェリーツェ・バウアー宛の手紙で、彼はプラハ訪問中のブーバーの講演を聴きにいかない理由について、次のように述べている。「ブーバー程度じゃぼくを部屋から追い出すには到底足りない。彼の話は以前も聞いたことがあるけど、不毛な印象を受けた。彼の言うことには全部、何かが欠けているんだ」［Kafka 1999, 42］。三日後のフェリーツェ宛の手紙でも、ブーバーの書くものは「生ぬるい代物」だと切って捨てている［Kafka 1999, 48］。

西欧の同化ユダヤ人が置かれた疎外状況についての問題意識をブーバーと共有しながらも、カフカはブーバーが言うような「時代の呼び声」に素直に耳を傾けることはできなかったのだ。彼は、自分がシオニズムに参加して「自分だけに割り当てられた行い」をするのは不可能だと考えていたし、ブーバーがユダヤ人青年というものを語る際の熱量を共有することもできなかった。『田舎医者』が時間／時代に抗する老人の物語として書かれなければならなかった背景に、ユダヤ青年運動としての文化シオニズムに対して作者が抱く心理的距離があったことは想像に難くない。

物語の末尾で、「喜ぶがいい、患者たちよ／医者を添い寝させてやったぞ！」［Kafka 1994, 261］という子どもたちの歌が響くと、時制はまたしても過去から現在へと変化する。一度は逃れることができたと思われた「責任」から逃げおおせるのは結局のところ無理だという現実を目の前に突きつけるかのように。裸のまま雪の中をのろのろと進む「私」が置かれた苦境を語るこの箇所の現在形は、明瞭に内的独白の特徴を備えている。物語の前半で表現されていた疾走するような感覚は影を潜め、同じ短編集に収められている『皇帝の伝言』が寓話風に描き出すところの到達不可能性のテーマへの接続がなされる。

> この調子ではいつまで経っても家には帰れない。繁盛していた私の診療も、これで店じまいだ。後釜に座ろうとするやつが出てくるだろうが、無駄なことだ。私は余人をもって代えがたいからな。家では気持ち悪い馬丁が暴れ、ローザが犠牲になっている。考えるのも嫌だ。裸で、この不幸などん底の時代の寒さにさらされ、この世のものである馬車で、こ

の世のものならぬ馬に引かれ、私は、この老人はあてどなくさまよっている。私の毛皮は馬車の後部に引っかかっているが、手が届かない。ろくでもない患者どもは身軽なくせに指一本動かさない。騙された！　騙された！　ひとたび偽りの夜間ベルの音に釣られたら――もう二度と取り返しがつかない。［Kafka 1994, 261］

ここには、時間／時代に歩調を合わせることはできず、かといって時間／時代と絶縁することもできない二律背反のもどかしさが、痛いほど表現されている。

時代との落差を抱えつつ生きることの生きづらさというテーマは、同じ短編集の冒頭に置かれた『新しい弁護士』においても、かつてアレクサンドロス大王の軍馬でありながら、現代において活躍の場を失ったブケファロスが、（なぜか）弁護士になって法律書の山に埋もれる生活を送っている状況を通じて表現されており、いわば短編集全体の通奏低音をなすものである。『田舎医者』は寓話形式でこそなく、夢語りに近い書き方がされてはいるが、だからこそ、人間を圧迫する時間というものの手触りを生々しく描き出しつつ、それを時代という社会的なテーマに接続することができたのである。

５　「人生は驚くほど短い」

本章の最後に、同じ短編集に収められている掌編『隣村』を一瞥し、これを『田舎医者』に添えられた一種の注釈として読み解いてみたい。これは短編集の中で最短の物語であり、数行の長さしかないが、時間感覚の揺らぎや老人と青年の対立、到達不可能性といった『田舎医者』の主な要素が短い中に凝縮して詰め込まれている〔川島ａ、一〇三頁〕。まず全文を引用しておこう。

私の祖父はよく言っていた。「人生は驚くほど短い。今になって思い返せば、すべてが記憶の中で小さく圧縮されているので、たとえば若い男が馬に乗って隣村に行く決心をするとして、もとより――不幸な偶然のことは一切考えに入れないとしても――ごく普通の、つつがない人生の時間をめいっぱい使っても隣村まで行くには全然足りないのではないかと心配にならずにそんな決心ができるのはなぜか、どうもよく分からないほどだ」。〔Kafka 1994, 280〕

どれだけ長い人生でも過ぎてしまえば一瞬でしかないということへの驚き、時間というものの不思議さと残酷さは、それ自体としてはごく陳腐とさえ言える、人口に膾炙したトピックである。それをカフカは巧みに寓話風の物語に仕立てている。時間や空間がいびつな形で伸び縮みするありさまを体感的に描いたのが『田舎医者』だとするなら、それをアフォリズムのような簡潔な形式でまとめたのが『隣村』だと言えるだろう。一定のペースで直線的に流れる時間、どこまでも均質に広がる空間といった世界観を否定する点は、早くから中国の道教思想に関連づけられてきた〔Zhou, 248〕。またペーター＝アンドレ・アルトは、同時代に提唱されたアインシュタインの相対性理論との親和性を指摘している〔Alt, 515〕。それらの見方の是非は今は問わず、この物語を精読することによって浮かび上がってくるものを『田舎医者』との関連で読むことに専念したい。

この短編の最大の特徴は、とにかく短いことである。人生が「驚くほど短い」という主題を、テクスト自体の短さで表現しているかのようにも見える。しかし、短いなかにも数多くの仕掛けが施されている。まず、一人称の語り手が語るうちで地の文が冒頭の「私の祖父はよく言っていた〔Mein Großvater pflegte zu sagen〕」という五つの単語しかなく、それ以降はすべて「私の祖父」が語った言葉だという特異な構造が、読者の目を驚かせる。さらに、この箇所に pflegen という習慣的なことがらを表す語があることで、これが一回限りの発言ではなく、何度も繰り返された言葉なのだと印象づけられる。そこには、動かしがたい歴史の重みのようなものが立ち上がる。しかも、この動詞が過去形であるがゆえに、それを語ったとされる「祖父」がすでに死んでいることが暗示され、そこに絶妙な距離感が生まれる。この物語の語り手である「私」にとって――そして読者にとって――もはや手の届かない場所にいる「祖父」が語ったとされる言葉には、それが遠くにあるからこそ、何かしら権威あるもののようなオーラがまとわりつく。距離を生み出すものとしての過去時制の語りの機能が、ここでは十全に発揮されている。現在時制による圧迫を描いた『田舎医者』において、老人と青年の対照が印象的に描かれ、なおかつ老人の無力さとよるべなさが強調されていたのに対し、『隣村』は語りの技法によって老年の価値を回復させるのである。老いと死はここでは否定的なものではなく、安定した世界観を提示するのに役立っている。

引用符でくくられた「私」の祖父の言葉は、最初に置かれた「人生は驚くほど短い」というモットー的なごく短い文章のあとは、畳みかけるような長い一文のみで構成されている。この緩急のつけ方により、『田舎医者』と同じような時空間の伸び縮みが表現されるが、読者が受ける印象は大きく異なる。記憶の働きによって時間が圧縮されることを根拠に、「私」の祖父はすぐ近くの隣村が到達可能であることを否定する。彼は自らの老年ゆえのオーラを盾に、時間に対しても、隣村が到達可能であるかのように思う「若い男」に対しても一種の心理的優位に立つのだ。この世のものならぬ馬に引かれて旅立ってしまった『田舎医者』の年老いた医師とは異なり、『隣村』の祖父はおそらく隣村めがけて出発することはないだろう。彼は、老年という立場に居直ることにより、時間／時代との抵抗とその挫折という問題圏に巻き込まれるのを回避する。その意味で、『隣村』は『田舎医者』と対をなし、これを相対化する物語なのである。短編集『田舎医者』は全体として、時間／時代に乗りきれないもどかしさに満ちているが、同時に、老いと死の立場に拠りながら時間／時代に抗うことができるか否かの試行錯誤の記録となっている。

参考文献

川島隆ａ「カフカの短編を読む　『Ein Landarzt』の世界」第６回『ＮＨＫ　まいにちドイツ語』九月号、ＮＨＫ出版、二〇一九年。

川島隆ｂ「カフカの短編を読む　『Ein Landarzt』の世界」第７回『ＮＨＫ　まいにちドイツ語』一〇月号、ＮＨＫ出版、二〇一九年。

デリダ、ジャック『カフカ論　「掟の門前」をめぐって』三浦信孝訳、朝日出版社、一九八六年。

バタイユ、ジョルジュ『文学と悪』山本功訳、ちくま学芸文庫、一九九八年。

Alt, Peter-André: Franz Kafka: der ewige Sohn. Eine Biographie. München: Beck, 2005.

Anderson, Mark: Kafka's Clothes. Ornament and Aestheticism in the Habsburg Fin de Siècle. Oxford: Clarendon Press, 1992.

Buber, Martin: Zion und die Jugend. In: Der Jude, 3 (1918/1919), S.99-106.

Cohn, Dorrit: Kafka's Eternal Present: Narrative Tense in "Ein Landarzt" and Other First-Person Stories. In: PMLA, Vol. 83, No. 1 (1968), pp. 144-150.

Engel, Manfred: Traumnotat, literarischer Traum und traumhaftes Schreiben bei Franz Kafka. Ein Beitrag zur Oneiropoetik der Moderne. In: Bernhard Dieterle (Hrsg.): Träumungen. Traumerzählungen in Literatur und Film. St. Augustin: Gardez, 1998, S. 233-262.

Kafka, Franz: Tagebücher. Kritische Ausgabe. Hrsg. v. Hans-Gerd Koch; Malcolm Pasley; Michael Müller. Frankfurt am Main: Fischer, 1990.

Kafka, Franz: Drucke zu Lebzeiten. Kritische Ausgabe. Hrsg. v. Wolf Kittler; Hans-Gerd Koch; Gerhard Neumann. Frankfurt am Main: Fischer, 1994.

Kafka, Franz: Briefe 1913-März 1914. Kritische Ausgabe. Hrsg. Hans-Gerd Koch. Frankfurt am Main: Fischer, 1999.

Kafka, Franz: Briefe 1914-1917. Kritische Ausgabe. Hrsg: Hans-Gerd Koch. Frankfurt am Main: Fischer, 2005.

Kreuzer, Stefanie: Traum und Erzählen in Literatur, Film und Kunst. Paderborn: Wilhelm Fink, 2014.

Kurz, Gerhard: Traum-Schrecken Kafkas Literarische Existenzanalyse. Stuttgart: Metzler, 1980.

Maor, Zohar: Das Bild der Jugend. Der Prager Kreis zu Beginn des 20. Jahrhunderts. In: Yotam Hotam (Hrsg.): Deutsch-Jüdische Jugendliche im »Zeitalter der Jugend«. Göttingen: V&R Unipress, 2009, S. 193-212.

Robertson, Ritchie: Kafka: Judaism, Politics, and Literature. Oxford: Clarendon Press, 1985.

Spector, Scott: Prague Territories: National Conflict and Cultural Innovation in Franz Kafka's Fin de Siècle. Berkeley: University of California Press, 2000.

Zhou, Jianming: Zur Tao-Rezeption bei Kafka. In: Wirkendes Wort, Heft 2 (1992), S. 240–252.

第6章

市民たちの晩年
――トーマス・マン『ブッデンブローク家の人々』から『欺かれた女』まで

坂本彩希絵

1　市民の時代の終わり

トーマス・マン（一八七五―一九五五年）は六〇余年の晩年を生きた。これはもちろん奇をてらった言い方であるが、とはいえ、この不世出の作家が、一九歳で世に出てから八〇歳で亡くなるまでの、長い執筆活動の大部分を、「終わり」を描くことに費したというのは間違いではない。というのも、トーマス・マンは「市民の時代」の終わりを繰り返し描いた作家だからである。

「市民」とは、ヨーロッパで中世末期に誕生し、特に一八世紀以降、近代ヨーロッパ社会の中核をなした中産階級の総称である。この階級は、上層では貴族と、下層では労働者と接する非常に厚みのある階層であり、それゆえに、その実態を簡単に説明することはできないが、強いて言えば、歴史家ピーター・ゲイが「労働の福音」という言葉に要約したように、勤勉、規律、義務の意識という行動規範に基づいて、ヨーロッパの近代化と文化および社会習慣の形成に、強い影響を与えた階層ということになるだろう。彼らは、科学技術を目覚ましく発展させ、鉄道をはりめぐらせ、その結果、各所に大都市が出現し、総じてヨーロッパは後にも先にもなかったほどの繁栄を謳歌することとなった。しかしその反面、生活環境や産業構造の大きな変化は社会を複雑にし、それ以前の時代に人々が拠り所としていた価値体系を揺るがすことになる。その動揺の哲学的な現われがショーペンハウアーのペシミズムやニーチェのニヒリズムであり、医学・社会学的な現われが、フロイトらが発見した「神経症」だったと言うこともできよう。市民たちは勤勉に働いて世の中を大きく変革すると同時に、自分たち自身の心に、存在をめぐる不安を植え付けたのである。

社会の発展と表裏一体の不安は、芸術の領域では「デカダンス〔退廃主義〕」の流行として現われた。デカダンスとは、もともと、古代ローマ帝国の滅亡とその時代の文化の退廃的な傾向をさす歴史学の用語であったが、一八世紀後半のフランスで、退廃への偏愛を特徴とする芸術の呼び名へと転化し、それが世紀転換期のドイツ語圏にももたらされた。リルケ〔一八七五―

一九二六年)、シュニッツラー(一八六二―一九三一年)、ホフマンスタール(一八七四―一九二九年)など、前世紀前半のドイツ語圏文学を代表する文豪たち――トーマス・マンも含め、いずれも富裕な市民家庭の出身である――は、この時期にデカダンスの作家として出発している。彼らは、世の中から漠然と感じ取られる不安を、自分たちの文化の滅亡の予感と重ね合わせた。トーマス・マンの最初の短編集『小男フリーデマン氏』(一八九八年)に収められた物語に、病への関心、死への憧れ、人生からの疎外感、そして早世の予感が漂っているのは、そのような時代的文化的背景に拠る。「おれはもう失われた人間なのだ」(『道化者』〔VIII-140/八巻一一五頁〕)「秋だ。夏はもう戻らない。夏を見ることはもうないだろう……」(『死』〔VIII-69/八巻五九頁〕)

デカダンス文学の担い手たちには、もちろんそれぞれの作風があり、退廃の表し方も三者三様ではある。だが、多かれ少なかれ、「世紀末〔Fin de siècle〕」を市民の時代の終わりとして描いた点では共通している。トーマス・マンの場合、それは、「祈り、働け」〔VIII-107/八巻九一頁〕という父祖のモットーに対する違和感として、ひいては、生まれ育った市民的世界からの逸脱として現われ、アウトサイダー的な人物形象へと類型化されてゆく。

2 「晩期の市民」から「芸術家」へ

最初の長編小説『ブッデンブローク家の人々』〔一九〇一年〕は、トーマス・マンが自身の生家の家族史を、ある架空の豪商一家の年代記に仕立てた物語であり、「ある家族の没落」という副題からも分かるように、家運が次第に先細る様子が克明に描かれている。特に、最後の家長トーマス・ブッデンブロークは四八歳という壮年にありながら、既に「日に日に自身の余命はいくばくもないと感じるようになり、死を覚悟し始め」る〔I-650／一巻五二二頁〕。この人物は、マンが後に時事評論『非政治的人間の考察』〔一九一八年〕で自ら解説したように、「その神経が自分の領分〔商人としての活動圏〕にはもはやなじまず〔……〕周囲の人々――相も変わらず健康で偏狭だ――からは奇異の目で見られ、自分の方でも、もう長いこと、彼らを苦笑しながら眺めている」、「晩期の、複雑化した市民」であるという〔XII-72／一一巻五九頁〕。つまり、このトーマス・ブッデンブロークは、本来帰属するべき市民的世界には、もはや精神的な生存の基盤を持てない逸脱者の肖像なのである。

トーマス・ブッデンブロークの複雑さは、分不相応なほどに、良い趣味を持とう、洗練されてあろうとする様子に見てとれる。この傾向は妻選びにおいて特に顕著であり、トーマスが、非常に美しいが風変わりなゲルダとの結婚を決めた理由は、絵画と文学において趣味が合い、音楽に関しては自分よりもむしろ高尚な理解を示す女だったからというものである。もちろん、当時の上流家庭の縁組で最も重要な条件とされた持参金の額も、このオランダの大富豪の娘には申し分がなかったのだが、それはあくまで副次的な理由にすぎなかった。トーマスにとってゲルダは、周囲の堅実さが取り柄の素朴な市民たちに対する精神的優越を狙う上で、理想的な妻に思われたのである。このような、家業でだけでなく、精神的洗練においても他に抜きん出ようとする野心は、父や祖父には見られなかったものであり、町の人々はそのようなトーマスを奇異の目で見つめている。

トーマスは、溌溂として家業に打ち込んでいた青年時代、「地上では全てが比喩にすぎない」という人生哲学を口にする〔I-277／一巻二一九頁〕。つまり、有力者とはいえ、生まれ故郷の小さな町に限定された生き方をしなければならない自分を、「シーザー」に喩えることで慰撫しようというのである。この複雑なアイデンティティは、若い時こそ精力の源となりえたが、その一方で、貴族趣味やインテリ志向と相俟って、父と祖父のように、全人格の生業への投入を妨げるものでもあった。そして、商会と政治家としての勢力の双方が陰りを見せ、芸術理解においても自分がディレッタント〔自らには創造力がなく、趣味として芸術を愛好するだけの者〕の域を出ないことを認めざるを得なくなると、トーマスの複雑なアイデンティティは次第に破綻する。若い時から敏感だった神経はますます過敏に、身だしなみへの配慮は強迫的になり、職場でも家庭でも強い疎外感に苛まれ、失意のうちに早世する。

このトーマス・ブッデンブロークのことを、マンは後に、自分の「父であり、子であり、分身」〔XII-72／一一巻五九頁〕と呼んでいるが、作家の分身といえる人物は、実は他の作品にも――特に一九一〇年代までに書かれた作品に――多く登場する。北方の商業都市の、由緒ある豪商の家に生まれ、勤勉な名望家の父と、音楽を愛する母とを持ち、芸術方面に小才は示すものの、父の跡を継いで商会を背負って立つような実際的な能力も活力もなく、父が死ぬと店を畳んで生まれ育った町を去る――それぞれに細かい違いはあるものの、このような、マン自身の少年期の体験と生家の辿った運命から生み出された登場人物は、皆、「晩期の市民」なのであり、マンが作家活動を開始した当初から、市民の時代の終わりに強い関心を持っていたことの証といえる。

前掲の『非政治的人間の考察』の中で、トーマス・マンは次のように語っている。

> 私は精神的には、ヨーロッパ全土に分布する、かの種族の作家たちに属している。すなわち、デカダンスを出自とし、デカダンスの記録者、分析家に任ぜられ、同時にそれを拒絶しようという解放への意志を〔……〕胸に秘め、デカダンスとニヒリズムの克服の、少なくとも実験はした、そういう種族に。〔XII-201／一一巻一六五頁〕

この、第一次世界大戦下でなされた述懐には、当時のドイツに漂っていた、いわゆる国際関係上の閉塞感や、その打開（克服）への渇望といった感情が、多少なりとも含まれているに違いないが、しかしそれを論じるには本稿は相応しくない。確かなのは、『トニオ・クレーガー』（一九〇三）や『ヴェニスに死す』（一九一二年）には、市民的世界からの逸脱者がデカダンスを克服し、市民的芸術家へと変貌する様が描かれていることである。

トニオ・クレーガーは、トーマス・ブッデンブロークや、他の晩期市民タイプの主人公たちと同様に、周囲の環境に対して強い疎外感と、同時に軽蔑を覚え、過度に神経質である。それゆえに市民（商人）としての生活能力に乏しく、周囲からは「脱落と糜爛の状態」にあると思われているものの［VIII-289／八巻二三七頁］、その反面、洗練された精神性と鋭い洞察力を持ち、平俗な世の中の裏を見抜く認識に目覚め、そしてそれを言葉で彫琢する芸術家（作家）として、若くして成功を手にする。

もっとも、芸術家になったからといって、その人生がすぐに満ち足りたものになるわけではない。鋭い洞察力はトニオを気難しくし、表現しようとする事柄には冷徹な距離が生まれる。「世界の内側」の「滑稽と悲惨」が見えてしまう者に喜びはなく［VIII-290／八巻二三七頁］、芸術的な表現とは、「曲芸師的な損なわれた神経系の興奮であり、冷たいエクスタシー」であって［VIII-295／八巻二四三頁］、それは生き生きとした素朴な感情の荒野である。ゆえにトニオが「人情に与せずに人情を描くことに死ぬほど疲れる」と言うとき〔VIII-296／八巻二四三頁〕、そのデカダンスは克服されるどころか、むしろ極まったようにさえ見えるのである。

幸い『トニオ・クレーガー』の結末は明るい。主人公は少年期の追体験を経て、素朴な感情の息衝きを取り戻す。そして、一度は軽蔑して背を向けた世の平俗への愛情を自らの裡に再び見出し、「明朗に生き生きとした、幸福な、愛すべき平凡な人たち」の生の歌い手になろうと決意する〔VIII-338／八巻二七六頁〕。「平凡という至福への憧れ以上に、甘美で感じ甲斐のある憧れはない」〔VIII-337／八巻二七五頁〕——この転回は劇的で感動的である。一度は半ば望んで追放された市民が、デカダンスの荒野を彷徨った後、市民的芸術家として再起する。これほどに明るい予感に満ちた結末は、この時期のマン作品には特異とさえ言える。

この物語が予示するのが生き悩む晩期市民の再生であることは疑いえない。しかし同時に、市民的世界の方も理想化されていることを見逃してはならない。トニオ・クレーガーの、世の中に対する視線が軽蔑から愛へと変わることで、かつては「粗野で低級」〔VIII-289／八巻二三八頁〕にしか見えなかった市民的な生活が、「躍動的な日常」〔VIII-338／八巻二七五頁〕として、来るべき芸術に捉えなおされるのである。もっとも、『トニオ・クレーガー』自体は、決意と予感で締めくくられているために、そのような来るべき芸術の具体像が示されることはない。この抽象性はトーマス・マン本人が後年に反省していた点でもある。しかしこれが、まだ三〇歳にも満たなかった若い作家が、自分の青年期を規定していた問題意識と向き合って出したひとつの答えなのである。市民的芸術家の誕生と、その手によって表象される理想的な市民性のイメージによって、市民的世界のデカダンスの克服の道が、少なくとも企図されたのだといえよう。

このイメージは、『ヴェニスに死す』にも——より複雑で強いイロニーを伴ってはいるが——引き継がれている。主人公である高名な作家アッシェンバハは、批評界からだけでなく、一般読者からも広く尊敬を勝ち得たとされる。というのも、アシェンバハは「過重な負担を抱えて疲労困憊の極みで働く諸人、それでも直立して仕事を続けるあらゆる道徳家たちの詩人」であり、読者たちは彼の作品の中に「自分を再認」するからである［VIII-454／八巻三七二頁］。この、同時代に数多くいる名もなき「英雄たち」とは、まさに労働と、努力、規律、克己の伝統を尊ぶ善良な市民たちに他ならない。この作品は、帝国主義的なイデオロギーの色彩が濃く、ヴィルヘルム二世時代当時の読者にとってのアクチュアリティに配慮がなされている点で、『トニオ・クレーガー』とは趣が異なるものの、トーマス・マンは、ここでも再び、市民的芸術家と、理想化された市民性のイメージを描き出しているのである。

ルキノ・ヴィスコンティの映画やベンジャミン・ブリテンのオペラでも有名になったこの物語は、多くの人が知るように、アシェンバハの詩業の礼賛ではなく、その威厳の失墜を主題としている。この老作家は、自らも疲労困憊の極みにあって創造力の枯渇に悩み、そして訪れたヴェニスで、古代ギリシア的美のイデアそのものとも思われる美少年に魅了され、それまで刻苦精励して築き上げてきた業績には全く相応しくない幻惑の中で身を滅ぼしてゆく。この破廉恥でスキャンダラスな筋立ては、『トニオ・クレーガー』で予示された理想を再び否定するかのようだ。しかしながら、不意に襲ってきた情熱を鎮めることができず、栄光の絶頂から深淵へと墜落するアシェンバハを、ただ「一人の男」として、つまり、市民的芸術家という理想の形姿ではなく、あくまで個的な存在として捉えることも不可能ではない。というのも、この物語の結びの一文「世間は、敬意に満ちた驚きをもって、アシェンバハ逝去の報に接した」には、この老作家の栄光の不滅性が読み取れるからである［VIII-525／八巻四二七頁］。それはもちろん、世間が、アシェンバハの最期の日々の、不似合いな情熱と醜態を知るよしもないからではあるが、仮に知ったとしても、それによって過去の栄光が曇ることがあるだろうか。トーマス・マンは、老ゲーテの一七歳の少女への叶わぬ恋という有名なエピソードから、『ヴェニスに死す』のインスピレーションを得たと言われる。これはまさに、個人的な情熱と芸術的な理想とが、別の問題として受け止められうることの傍証であろう。ゲーテが今日においてなお、ドイツの市民的世界から生まれた最も偉大な詩人であることは言うまでもない。

トーマス・マンは、作家としての歩みを始めたときから、市民の時代の終わりと向き合ってきた。初期の短編から『ヴェニスに死す』を書いた十数年の間、それは、自身の自画像とも呼べるような、晩期市民的な登場人物へと形象化され、そのうちの何人かの生の行程は、「終わり」の克服、あるいは再生の予感へと通じている。しかし、時代はトーマス・マンに、再生した市民的世界の謳い手となることを許しはしなかった。

３　晩年作家の最晩年

最初に述べたように、トーマス・マンの作家活動は六〇年以上に及んだ。一九世紀末にデビューした作家の六〇年がいかに波乱万丈であったかは、マンをあまり知らない人でも容易に想像できるであろう。第一次世界大戦とドイツの敗北は、保守的な文化概念に修正を加えざるを得ない経験であったし、ナチス・ドイツが政権を握ると亡命を余儀なくされ、その著書は焚書の憂き目にあった。亡命先のアメリカでは厚遇され、亡命知識人の中心的存在として、混迷の只中にある故国と国際社会に向けて人間性の復活を説いたが、第二次世界大戦後の東西冷戦の緊張の中で、マンは共産主義者のレッテルを貼られ、アメリカからも追われるようにヨーロッパへと帰還する。スイスのキルヒベルクに移り住んだ時、マンは七七歳になっていた。

そのような後半生は、ヨーロッパの没落と対峙する日々だったと言えよう。この間に生み出された作品は、質量ともに前半生をはるかに上回る。『魔の山』(一九二四年)、『ヨセフとその兄弟』四部作(一九三三―一九四三年)、『ワイマールのロッテ』(一九三九年)、『ファウスト博士』(一九四七年)、『選ばれし人』(一九五一年)。他にも非常に多くの短編やエッセイがある。そして、それらの著作のいずれからも、ヨーロッパ社会の行き詰まり、破局の問題を読み取ることができるのである。もちろん、トーマス・マンの中には、この没落に最も深刻に直面したのは市民階級であるという意識がある。

『魔の山』以降のマン文学には、初期の短編や『トニオ・クレーガー』、『ヴェニスに死す』にあったのとはまた別の晩年性がある。中でも、最後の完成作品となった『欺かれた女』(一九五三年)は、伝記的な意味でも、また内容的な意味でも、トーマス・マンの晩年性――あるいは最晩年性――を考える上で、非常に示唆に富んでいる。エドワード・サイードが晩年を「時機を失した状態」[サイード、三八頁]と定義したように、まさに、トーマス・マンの文学が最後にゆきついた晩年性は、時機を失した市民たちを描き出す、そのイロニーを含んだ哀感にある。

『欺かれた女』の舞台は一九二〇年代のデュッセルドルフ。主人公のロザーリエ・フォン・テュムラーは軍人の未亡人で、抽象画家の娘アンナと、ギムナジウムに通う息子エドゥアルトとともに邸宅街に住んでいる。女性らしい優美さと若々しい可愛らしさがあるものの、五〇歳の誕生日と前後して閉経を迎え、自身の「女としての定年」〔VIII-892／八巻七二九頁〕に失望を隠せない。そのようなとき、息子の英語の家庭教師として迎え入れたアメリカ人青年ケン・キートンに魅せられて、思いもよらず激しい恋に落ちる。すると、「魂の春」〔VIII-903／八巻七三九頁〕に応じたかのように再び月経が始まり、これを、肉体が感情に同調して奇跡的に若返ったものと確信したロザーリエは、大胆にも、息子ほども歳の離れた想い人に愛を告げる。しかし、「魂と体の調和」〔VIII-922／八巻七五六頁〕の回復と思われたこの体調の変化は、実は子宮癌の末期症状であった。急転直下、ロザーリエは死へと赴く。

この終末部のどんでん返しと、性のタブーを破るテーマ選択は、クライストの傑作『O侯爵夫人』（一八〇八年）に触発されたとも言われているが、少なくとも、「現代の古典」（ノーベル文学賞受賞理由）の作家、「ドイツの良心」と呼ばれた大作家に対する世間の期待に応えるものではなかった。特に、テーマと構成の類似から、『ヴェニスに死す』の焼き直しではないかという批判が、発表当時からあったと言われている。確かに、老境に差し掛かった者を襲う美しい若者への情熱、欺瞞的な若返り、病と死、その他少なくない点で、およそ四〇年前に書かれたアシェンバハの物語とよく似てはいる。ただし、トーマス・マン自身が、「『欺かれた女』は「その重さもテーマ設定も『ヴェニスに死す』とは何の関係もない」と言っているように〔XI-529〕、『欺かれた女』の直接の執筆契機は、妻から聞いたという実話である。マンの日記によれば、ミュンヘンに、息子の家庭教師に恋をし、癌の出血を月経の再開と見誤って亡くなった、初老の貴婦人が実在したという。マンの心をとらえたのは、「病が復活を装った」（一九五二年四月六日の日記）という自然の欺瞞であって、『ヴェニスに死す』で展開されたような美のイデアをめぐる観想とは大きく異なっている。更に言えば、晩年性の問題をとってみても、『ヴェニスに死す』と『欺かれた女』は似て非なる作品である。

この二つの作品の主人公が老境に差し掛かっており、晩年性がともに重要なモチーフであることは確かに言をまたない。ロザーリエもアシェンバハも五〇歳を超え、生理的肉体的な、あるいは感覚的な衰えに悩み、そして、若さや生命や美しさへの満たされない憧れを抱いたまま死んでゆく。しかしながら、『ヴェニスに死す』がデカダンスとその克服の問題圏にあり、先に述べたように、アシェンバハが個人としては没落する反面、その市民性は芸術へと統合されて掬い上げられるのに対して、『欺かれた女』のロザーリエの生活は、上流市民的価値観の残滓といった趣であり、高次の何かを予感させるようなものではない。この違いは大きい。トーマス・マンの、市民の晩年の捉え方は、大きく変化しているのである。

4　市民たちの晩年――『欺かれた女』

『欺かれた女』の舞台となった一九二〇年代は、ヨーロッパを中心とした人類社会においては、言わずと知れた一大転換期であった。ピーター・ゲイが言うように、第一次世界大戦の災禍は市民の時代に終止符を打ち、政治・経済の力学は上流市民による支配を過去のものにし、文化や芸術の領域では、一九世紀的市民的趣味の否定それ自体を定義とする表現主義が全盛期を迎えていた。そのような更新された世界にありながら、ロザーリエの感性、嗜好、ものの考え方、つまり人格描写に見られるあらゆる特徴は、あからさまに一九世紀的な上流市民の戯画であり、それによって、物語全体もまた、旧時代的な黄昏色に染まって見える。

ロザーリエという人物の旧時代性は、なによりも、その生活スタイルと通俗的なロマン主義風の自然讃美に現われている。ロザーリエはいかにも上流の婦人らしく、「菩提樹の並木のある静かな邸宅街」で、「結婚した当時の様式の」、つまり一九世紀末に流行した調度品に囲まれて暮らしている〔VIII-877／八巻七一六頁〕。王宮付属庭園を散歩するという習慣は、一八世紀以降、とりわけ市民階級で好まれた日常的な娯楽の一つである。そのような住環境で、ロザーリエは、自分の生まれた季節である春を「健康と生きる喜びのひそかな奔流をもたらしてくれる」季節として熱愛し、ヴィラの花壇にクロッカス、スノーフレーク、ヒアシンス、チューリップが芽吹き、また咲き誇ると、感動のあまり涙を流す〔VIII-883／八巻七二一頁〕。その名がちなむ薔薇をこよなく愛し〔「ロザーリエ」は「薔薇〔Rosa〕」に由来する名〕、「目を閉じて、薔薇の花束に顔をうずめ」、その香りを「天上のアロマ」だと断言する〔VIII-884f.／八巻七二二頁〕。人間は「自然のいとし子」〔VIII-885／八巻七二三頁〕であり、できるだけありのままに、素朴に生きることが、幸福であり正しさであると信じている。そして、そのような道徳観を、娘のアンナに説く姿からは、独善的な押しつけがましさが感じられなくもない。

一方のアンナは母親とは対照的な人物として描かれている。「冷めた知性と精神的な自負」〔VIII-908／八巻七四三頁〕を持ち、「単なる自然模倣を軽蔑し、感覚的印象を、厳格に観念的で、抽象的象徴的、しばしば立体的数学的に変容させる、最高度に精神的な画風」〔VIII-879／八巻七一八頁〕のこの画家は、母親の自然讃美を半ば皮肉のこもった目で眺め、特にそれが女性観に及ぶときにははっきりと異議を唱える。母親の「子どもを産む能力がなくなると、私たち〔女〕は自然の前ではガラクタ」という、保守的ミソジニーを内在化した母親に対して、アンナは、文明化した社会においては、齢を重ねた女性が「より高次の愛に値する品位ある状態」へと進み、より多くの人々にとって意義深い存在になりえると反論する〔VIII-892／八巻七二九頁〕。もっとも、このアンナの考え方には理が勝ちすぎの感が否めず、ゆえにロザーリエが娘の考えに理解を示しつつも、やはり心から老化を受け入れるのは簡単ではないと応じるのにも頷ける。とはいえ少なくとも、この議論が、母娘の人格的対照性をよく表しているのは確かである。

母娘の対照的なものの見方は、絵画に関する意見において更に顕著になる。ロザーリエは、いかにも一九世紀後半生まれの上流婦人らしい、伝統的な趣味の持ち主である。娘の描く抽象画に対して、母親は「悲しげな敬意」［VIII-879／八巻七一八頁］を込めて言う。

「興味深いわ、アンナ、興味深いわ。まあ、でもアンナ、愛すべき自然からあなたたち〔抽象画家〕が作り出すものときたら！　一度くらいはあなたのその腕前で、心情に訴えるような何かを、心のための何かを描いてみては？　花の静物画や、みずみずしい接骨木の花束を、そのうっとりさせるような香りまで感じられそうなぐらい本物そっくりに。花瓶の脇に、かわいらしいマイセン焼のお人形を二つ三つ置いてね。貴婦人に投げキスをしている紳士だとか。そしてピカピカに磨かれたテーブルの上にすべてが映っていて……」

アンナの反応は、物語中の他の箇所には見られないほど激しいものである。「やめて、ママ！」と母の空想を制止し、そのような絵は「もう描くことはできない」と言う。

「アンナ、信じるものですか！　あなたほどの才能があるのに、そういう心を爽快にしてくれる絵を描くことができないだなんて」

「誤解しているわ、ママ。私ができるかどうかの問題じゃないの。誰であっても不可能なのよ。時代と芸術の状況がそれを許さないの」[VIII-880／八巻七一八頁以下]

「時代と芸術の状況がそれを許さない」――この言葉ほど、ロザーリエが体現する市民的世界の終焉を告知するものはない。アンナの画風については、これ以上話題にはならないため、二〇世紀前半の前衛芸術に関する一般的な知識をもって想像するしかないが、「立体的」という特徴からキュビズムをイメージするにせよ、「円錐」「輪」「螺旋形」による抽象表現という点からカンディンスキーをイメージするにせよ[VIII-879／八巻七一八頁]、広義の表現主義の範疇に入る画家とみてよいであろう。いずれにしても、この物語は芸術家小説ではないのだから、この対話からも芸術論以外の意味を読み取らなければならない。すなわち、このやりとりから明らかなのは、母親の、いわゆる古き良き趣味が、娘によって時機を失したものとして拒否されていることである。あたかも、ロザーリエが、その自然愛好、女性としての自己認識、そして芸術理解、つまりほとんど全人格的に、もはや「時代がゆるさない」存在だと宣告されたかのようだ。

ロザーリエとアシェンバハ、それぞれの最期が意味するものはやはり同じではない。先述のように、アシェンバハはスキャンダラスな情熱に翻弄された憐れな老人であるとともに、ゲーテを彷彿とさせる不滅性をもって、市民から芸術家へと高次に変容を遂げた存在でもある。その一方で、ロザーリエは、その死こそ従容とした穏やかなものであるが、それによって掬い上げられる何ものもない。ロザーリエの人格を育んだ市民的世界は完全に過去のものとなり、どのような昇華の行く先も見出されないのである。

ロザーリエは、自分の身に起きたことを「恩寵」と呼び、穏やかに死を迎える。曰く、月経の再開と思って喜んでいたことが、実は死病の兆候だったというのは、「自然の欺き、残酷な嘲り」ではない。なぜなら自然の力である病と死が自分に「復活と愛の喜びの姿を与えた」のだから〔VIII-950／八巻七七八頁〕。「自然――私はいつも自然を愛してきた。そして愛を――自然はその子に示してくれた」と。この穏やかな結末は一見すると調和的である。ゆえに、表題が「欺かれた女」であるにもかかわらず、この物語の主題は人間と自然との最終的な和解であるという解釈が支持されてきた。そこには、「フマニテート〔人間性・全人性〕」の大作家の最後の完成作品には、そのようなものが描かれていて然るべきという期待が垣間見える。しかしながら、アシェンバハの死と同様に、この結末はやはり二義的である。すなわち、個的な存在としてのロザーリエが、自身の世界観にすがって自分を慰め、穏やかに死に向かったとしても、その最期はやはり、時機を失した人間の終焉であり、新たな時代を迎えた世界からの永遠の追放を意味するのである。

アドルノ（一九〇三―一九六九年）は、旧知の友トーマス・マンに宛てた書簡で、『欺かれた女』の舞台が一九二〇年代に設定された理由について、ロザーリエのような人物がまだ存在しえた時代だからであろうと推測している。この二〇年代は、一九世紀的な市民の時代の中で人格を形成した世代が、子の世代からの批判を浴びながらも、まだ辛うじて命脈を保っていた最後の年代なのである。そのような人々は、「今日〔この作品が成立した五〇年代〕にはおそらく想像されえない」（一九五四年一月一八日の書簡）。二〇年代は、市民たちの晩年を描くのに最も適した時代であったと言えよう。

5 晩年への哀悼

第一次世界大戦後の一時期、すなわちワイマール文化、あるいは「狂騒の二〇年代」と呼ばれたこの時代は、一般に、革新的で反逆的な若さの時代と言われる。芸術ないし表現文化に限定して言えば、表現主義者たち――代表的芸術家の多くは大戦前に既に活動を始めていたが――は、非自然模倣的、非市民的、非因襲的であること、つまり、前の時代の芸術を否定することをモットーとしていたし、フランツ・ヴェルフェル（一八九〇―一九四五年）のような一八九〇年代生まれの作家たちは、「父と息子の争い」をテーマとした文学を乱造していた。

『欺かれた女』のアンナもまた表現主義的傾向の画家であり、おそらくは九〇年代の生まれだと思われる。それにもかかわらず、母ロザーリエへの敬愛に満ちた宥和的な態度は、前述の、彼女が属する世代のイメージと、かなり異なったものにみえる。アンナはロザーリエの散歩に何時間でも付き合い、道々の会話で意見の相違が生じたときは、頃合いを見計らって「優しい配慮と和解のキス」〔VIII-885／八巻七二三頁〕を送るのが常である。母のケンへの道ならぬ恋心に逸早く気づき、時に母親から否定的な感情を向けられても（「もしお前が彼と話をつけて追い払いでもしたら、死ぬまでお前を憎み続けるわ！」〔VIII-919／八巻七五三頁〕）、アンナは「大好きな、大切なママ」〔VIII-913〕を、身に破滅を招きかねない情熱から救おうと懸命に説得を続ける。ロザーリエが、人間は自然の一部であるという信念から、自分の裡に目覚めた感情を自然の恩寵ととらえ、その思いに正直であろうとするとき、アンナは常識的な感覚からその恋の不幸な先行きを予感しつつも、母親の信念を尊重しようと努める（「ママが自分の幸せな気持ちを私と分かち合おうとしてくれるのは、ママの素敵なところだわ、私もその気持ちを心から分かち合っているわ」〔VIII-926／八巻七五九頁〕）。ロザーリエが下腹部からの出血を月経の再開と思いこんだときも、アンナは当然戸惑いを覚えるのだが、しかし、それを「ママの自然の素晴らしさのしるし」〔VIII-923／八巻七五六頁〕と言って共に喜ぼうとする。作中で何度も繰り返される「大好きなママ」という呼びかけからも分かるように、アンナは母親を深く愛しており、その本来の素朴な魅力も、やや独善的な市民的価値観も、そして恋に落ちてからの見境のなさも、すべてを許容し、そして母親を不幸から救う道を探ろうとする。

この母娘が互いに深い愛情を通わせているのは疑いえない。ただ、母娘の間のこの関係性が、娘の憂いを伴う寛容さと理解力の高さによって支えられていることを無視するわけにはいかない。アンナは、母親の自然崇拝や旧時代的な世界観や芸術理解を、「愛情深く寛容で、そして悲しげに冷やかすような、その上苦しみに苛まれているような微笑み」を浮かべて甘受するのが常である〔VIII-883／八巻七二一頁〕。アンナは、母親が信じる価値観がもはや完全に時機を失したことを知っている。そして、時に母親が、その「古き良き」感性を押し付けてくることに苛立ちも覚える。しかしながら、この娘は決して母親を拒絶しない。その古びた素朴さを魅力と呼び、母親が平穏のうちに、尊厳を失うことなく老境に至ることを心から望んでいるのである。アンナが最も恐れるのは、母親が道ならぬ恋によって、その人生の拠り所であった上流市民的な道徳観から逸脱し、それによって精神的に破滅することである。もちろん、アンナ自身の自由な精神は、そのような観念に縛られていはいない。しかし、高い知性を持つこの娘は、「それが愛する母の魂の平安のためには必要」〔VIII-935／八巻七六七頁〕であると確信し、ロザーリエに「持って生まれた道徳的な確信と生活との調和は、結局、〔心と体の調和よりも〕もっとなくてはならないもの」と、感情の抑制を求める。その調和を破壊することは、「ママ自身の破壊でしょう」と〔VIII-929f.／八巻七六二頁〕。この説得で核心を突かれたロザーリエは、一時的にではあるが、ケンへの想いを封じ込める。

このように、ロザーリエとアンナの関係は、親世代の否定がほとんどスローガンのようであった時代のものとしては、特異なように思われる。もちろん、いつの時代でも親子関係は千差万別であろうし、また、この時代の青年たちを「親殺しの世代」というイメージにはめ込むこと自体、後世が抱くクリシェなのかもしれない。あるいは、当時の父と子の間にあったという緊張関係は、母と娘の間には、そもそもあまり見られなかったとも考えられる。ゆえに、この母娘の関係の歴史的な現実味については証明しようもないが、娘アンナが母ローザリエへと向ける、際立った理解と哀感が、この物語の基調をなしているのは明らかである。それは、右に詳述したように、新たな時代を生きる優越者による、時機を失した者の生への敬意であり、その近い将来に予定された喪失への哀悼、そして、願わくは、その終末が品位ある穏やかなものであってほしいという願いである。

『欺かれた女』のこの哀感は、『ファウスト博士』におけるロッデ母娘の悲劇を思い起こさせる。マン作品の難解さを代表するようなこの長編小説において、中盤以降に断続的に語られるこの母娘のエピソードには、通俗リアリズム小説のような特別な面白さがある。主人公レーヴァーキューンの一時期の下宿先として登場するこの一家は、ブレーメン市参事会員の未亡人である母と、貴族的な教育を受けた姉娘イネス、そして女優志望の妹クラリッサの三人家族で、父親の死後にミュンヘンへと移り住み、多くはない資産で体面を繕いつつ、知己を招いてささやかなサロンを営んでいる。かつては裕福だった上流市民家庭という来歴と、斜陽の微光に照らされた暮らしぶりが、ロザーリエ一家のそれと似ていることは指摘するまでもない。一家をめぐるエピソードの終盤、すなわち、二人の娘を襲う悲劇が、やはり一九二〇年代を舞台としているのも、『欺かれた女』と符合する。その悲劇とは、クラリッサの自死とイネスの破滅のことであるが、ここで特に取り上げたいのはイネスの生き方と、それを見る語り手ツァイトブロームの眼差しである。

イネスは、半ば零落した生家の境遇を脱し、上流市民の安定した生活へ回帰したいという願望から、男性としての魅力には乏しいが、将来性のある学者と結婚する。華燭の典は、一九一五年の初旬、すなわち市民階級が「解体的な時代」を数年後に控えつつも、まだ文化的高雅を享受しえた時期に催され、その後、時代の状況が急速に「上流市民的なものにますます好意を示さなくなってゆく」にもかかわらず、イネスは、「こぎれいで感情を害しないもの、上品で心を落ち着かせるもの」で住まいをしつらえ——ローザリエとよく似た趣味だ——、印象派風の画家に一家の「人形めいた」の等身大の肖像画を描かせ、子どもたちを、ブルジョワ家庭の伝統に忠実に、贅沢に甘やかして育ててゆく［VI-436f.／六巻三三四頁以下］。このように、豊かで上品な生活を取り戻したはずのイネスであったが、しかし、次第にモルヒネを覚え、そして、結婚前から親しい友人であったバイオリニストとの不貞の果てに、この男を刺殺するという破滅的な末路を辿る。

『ファウスト博士』は、近代ヨーロッパの没落を、芸術的創造性の宿命的枯渇という主題へ結晶化した物語であり、それゆえに、全体的に思弁的で、天才音楽家である主人公の精神的苦悩も凡俗とはかけ離れている。しかし、そこに時おり、イネスの破滅への顛末がさし挿まれることによって、この没落が市民的世界の終焉を意味しており、当然のことながら、天才だけでなく、より広範な人々に打撃を与えるものであったことが想起されるのである。もっとも、イネスの内面の複雑さと、その帰結となった凶行は、平均的な市民の日常からはやはり逸脱した、特殊個別的な事例に違いない。にもかかわらず、語り手ツァイトブロームは、イネスの生活感情を「市民的郷愁」と普遍化して捉え〔VI-435／六巻三三三頁〕、また、彼女が精神的安定のよすがとしたブルジョワ的生活についても、「全てを変え、掘り崩す時代」が「その実現をもはや許さない」ものであったと述懐することで〔VI-381／六巻二九二頁〕、そこに市民階級の没落を前景化させる。そして、ロザーリエに対するアンナと同じように、苛立ちと批判的な感情を抱きつつも、現在と未来に生存の拠り所を持たないイネス、すなわち、時機を失した市民的生に対して、「痛ましい〔schmerzlich〕」〔VI-380／六巻二九一頁〕という同情の念を禁じ得ないのである。

『欺かれた女』やロッテ家のエピソードから漂う哀感は、そのルーツを『ブッデンブローク家の人々』にまで遡ることができる。この最初の長編作品においても、伝統ある名家が喪われてゆくことを惜しむ感情が通奏低音となっている。一人の作家の、成立が半世紀以上隔たった作品から、似た特徴が見いだされるのは、驚くべきことと言えよう。しかしながら、惜しまれているものは同じではない。ブッデンブローク家もテュムラー家もロッテ家も確かに没落する。しかし、前者においては、その一方で、市民的世界が「相も変わらず健康」に、堅実なままで存在するのに対して、後者二つの物語では、その喪失には明らかに市民的世界自体の喪失が重ねられている。

『ブッデンブローク家の人々』、『トニオ・クレーガー』、『ヴェニスに死す』などの初期作品では、晩年性は「晩期の市民」として形象化される。これは言わば、「市民」という一つの種の中に出現した、退化した個体である。そして、生物学的には退化は進化の一側面と捉えられる、まさにそのように、彼らの芸術家への変容が示唆され、更には、来たるべき理想的な市民的生のイメージが予感される。それに対して、後年に書かれた作品に描かれるのは、市民的世界全体の晩年である。トーマス・マンは、一流のイロニーを込めて、その世界がいかに時機を失し、もはや滑稽であるかを活写する。しかしながら、それを「苦しみに苛まれ」ながら敬うアンナ、そして悼む人ツァイトブロームの存在は、私たちに、市民の時代への追憶と愛を要求するもののように思われる。あるいはそれは、トーマス・マンが、つまり疑いようもなく市民的世界の代表者である作家が、後世に向けて示した最上質のコケトリーなのかもしれない。

参考文献

トーマス・マン

引用は下記の版に基づき訳出した。

Thomas Mann: Gesammelte Werke in dreizehn Bänden. Frankfurt a. M. (S. Fischer) 1974. この全集からの引用は［ ］内に巻数（ローマ数字）、頁数を略記する。

なお、参考として以下の邦訳の該当頁数も併記する。巻数、頁数ともに漢数字。ただし、本稿での引用は筆者が独自に訳出したものであるため、日本語の表現は異なっている。

『トーマス・マン全集』（全一三巻）、新潮社、一九七二年（第一巻『ブッデンブローク家の人々』、第六巻『ファウスト博士』、第八巻『トーニオ・クレーガー』『ヴェニスに死す』『欺かれた女』、第一二巻『非政治的人間の考察』）

Theodor W. Adorno/Thomas Mann: Briefwechsel, 1943-1955. Hrsg. von Christoph Gödde und Thomas Sprecher. Frankfurt a. M. (Suhrkamp), 2002.

その他の文献

今泉文子『ミュンヘン 倒錯の都――「芸術の都」からヒトラー都市へ』筑摩書房、一九九二年。

ゲイ、ピーター『ワイマール文化』亀嶋庸一訳、みすず書房、一九七〇年。

――『シュニッツラーの世紀――中流階級文化の成立 一八一五―一九一四』田中裕介訳、

岩波書店、二〇〇四年。

サイード、エドワード『晩年のスタイル』大橋洋一訳、岩波書店、二〇〇七年。

ルカーチ、ジェルジュ「市民を求めて」『ハイネからトーマス・マン』（ルカーチ著作集5）国松孝二訳、白水社、一九八七年（第二版）、三九五―四四二。

第7章

小さな礼拝堂を装飾する老いた画家たち
——マティス、ピカソ、フジタ、そしてコクトー

松田和之

1　画家たちの礼拝堂

アンリ・マティス（一八六九—一九五四年）、パブロ・ピカソ（一八八一—一九七三年）、藤田嗣治（一八八六—一九六八年）。いずれも二〇世紀の美術史に確固たる足跡を残した画家たちであるが、それぞれに強烈な個性を放った彼らの経歴の意外な共通点として、晩年に小さな礼拝堂の内部装飾に取り組んでいる事実が挙げられる。三人が精魂を傾けた礼拝堂は、現在では各々が制作者の苗字を冠した呼称で親しまれ、信仰の場であると同時に、独創的な美術作品を鑑賞できる穴場的なスポットとして世界中から観光客を集めている。画家が教会や礼拝堂に自作を納めた

事例は美術史において枚挙にいとまがないが、小規模とはいえ、ひと棟の礼拝堂をひとりの名のある画家が全面的に装飾した事例は、「西洋絵画の父」と称される中世末期のイタリアの巨匠ジョット・ディ・ボンドーネ（一二六七頃―一三三七年）が壮年期に手がけたスクロヴェーニ礼拝堂のような著名な先例は存在するものの、その数は、古今を通じてそれほど多くはないはずである。一体何が、画家としての資質や信条を異にする三人の鬼才を斉しくカトリックの礼拝堂へと向かわせたのだろうか。装飾に着手した時点で、彼らは皆、多かれ少なかれ、自らの死を意識せざるを得ない年齢に達していたが、そのことが何か関係しているのだろうか。こうした疑問を解くための第一歩として、まずは、それぞれに個性的な相貌を呈する彼らの礼拝堂に関して、各々の特徴を確認しておきたい。

マティスといえばフォーヴィスムの巨匠という認識が一般化しているが、彼は「フォーヴ〔fauve〕」、つまり「野獣」を連想させる原色を活かした強烈な色彩と荒々しいタッチに固執することなく、次第にシンプルな色と線を志向したものへと画風を進化させてゆく。例えば、切り絵の手法が用いられた『ジャズ』シリーズ（一九四七年）などにその成果の典型を見ることができるが、そうしたマティス芸術の到達点が刻まれた作品としてひと際異彩を放っているのが、一九四八年から四年間をかけて制作されたドミニコ会修道院ロザリオ礼拝堂の壁画とステンドグラスである。南フランスのコート・ダジュール地方は世界でも有数のリゾート地として知られているが、「天使の入り江」に面したその中心地ニースから山間部に向かってバスで一時間少々走れば、終点のヴァンスに到着する。城壁に囲まれた中世の街並みが残るヴァンスの旧市街を離れ、深い渓流をまたぐ鉄橋を渡って北東に二〇分ほど歩けば、金色の炎と三日月をあしらった鉄製の十字架を頂くロザリオ礼拝堂が右手に見えてくる。

この礼拝堂の際立った特徴は、周到に配置された純白のタイル壁とステンドグラスによって確保された内部空間の明るさにあると言える。崖を背に建つ縦一五×横六×高さ五メートル程のこぢんまりとした礼拝堂の内部では、北側と東側に位置する三面の壁の施釉タイル上に、一四の場面から成る「十字架への道行き」、聖母子像、聖ドミニコ像がそれぞれ簡素な黒の線画で描かれているが、この空間に多くの人々を惹きつけてきたのは、何と言っても南側と西側の壁面を占める『生命の樹』と題されたステンドグラスだろう。様式化された植物文様を特徴とする一連の縦長のステンドグラスが、それぞれに空、植物、光を意味する青、緑、黄の三色の光を純白の床面と壁面に優しく投げかけ、最晩年にマティスがたどり着いた画家としての境地を窺わせる独自の色彩

ロザリオ礼拝堂（ヴァンス）

空間を創出している。

マティスが色彩の画家であったとすれば、ピカソは形態（フォルム）の画家であったと言えるだろう。しばしば「二〇世紀最大の画家」と称されるピカソは、ギネスブックに登録されるほどの多作な芸術家であったが、絶え間なく画風を進化させていったことでも知られる。作風だけではない。女性関係においても、そして居住地においても、彼は生涯にわたって変化を求め続けた画家だった。マティスと同様にコート・ダジュールに魅せられた彼は、一九四六年にアンティーブの紺碧の海沿いに建つグリマルディ城の一室にアトリエを構えたのち、一九四八年には、映画祭で名高い高級リゾート地カンヌに程近いヴァロリスに居を移し、古くから陶器製作で栄えたこの町で陶芸作品の制作に没頭するようになる。同地のシンボル・モニュメントとも言えるピカソの彫像『羊を抱く男』（一九四三年）が設置された広場に隣接するヴァロリス城は、アンティーブのグリマルディ城と同様に、現在ではピカソ美術館（正式な名称は国立パブロ・ピカソ「戦争と平和」美術館）として親しまれているが、その一角を占めるのが、一二世紀に建立されたロマネスク様式の女子修道院附属礼拝堂に起源を有する、通称ピカソ礼拝堂である。

縦一三×横五×高さ九メートル程の建物の大きさ自体は、ロザリオ礼拝堂とさほど変わらないが、粗削りの石材がむき出しになった内壁は古色蒼然としており、マティスの礼拝堂のそれとは対照的に、内部空間は仄暗く、そこはかとなく湿っぽい。ピカソが装飾したのは、そうした質朴な身廊に石壁を挟んで隣接しているかつての拝廊だった。両者を繋ぐ小さな石造アーチをくぐると、そこには半円柱形（蒲鉾形）をした異空間が広がっている。トンネル状に湾曲したヴォールト天井と両側壁を覆う硬質繊維板（イゾレル）に、各々が縦四・七×横一〇・二メートルの一対の巨大壁画が描かれているのである。アーチ側から向かって左側に「戦争」の図が、右側に「平和」の図が、互いに対峙する形で配されている。ナチスが行った史上初の無差別空爆を告発する壁画作品『ゲルニカ』（一九三七年）を容易に想起させる『戦争と平和』（一九五二年）が礼拝堂の内壁に設置されたのは、ピカソ美術館が開設される五年前の一九五四年のことだった。この二部作を制作するにあたり、生涯のライバルとして互いに認め合っていたマティスが同じコート・ダジュールのヴァンスに遺したロザリオ礼拝堂の存在を、当然、ピカソは強く意識していたことだろう。

残り少ない命を削って自らの礼拝堂の装飾に取り組んだレオナール・フジタもまた、ロザリオ礼拝堂を少なからず意識していたに違いない。あまり知られていないことだが、ノートルダム・ド・ラ・ペ（平和の聖母）礼拝堂、通称フジタ礼拝

ピカソ礼拝堂（ヴァロリス）
Château de Vallauris©François de Dijon(CC BY-SA 4.0)

堂の着工の前年にあたる一九六四年に、彼はニースを経由してヴァンスに赴き、マティスの礼拝堂を訪れている〔近藤、二九四頁〕。レオナール・フジタと藤田嗣治は、もちろん同一人物である。戦前のパリで、ベビーパウダーを配合した絵具を使って他に類例を見ない「乳白色の肌」を描いてみせる一方で、オカッパ頭にチョビ髭、それにロイド眼鏡という特徴的な風貌で数々の奇行を演じ、画壇の寵児としてもてはやされた藤田だったが、やがて第二次世界大戦が勃発し、陥落間際のパリをあとにして帰国の途に就くことを余儀なくされる。戦後になって、戦時中に描いた「戦争画」が同業者からの陰湿な批判にさらされるなか、「絵描きは絵だけ描いてください。仲間げんかをしないでください。日本画壇は早く世界水準になってください」という捨て台詞を残して故国をあとにした彼は、一九五五年にフランス国籍を取得し、その四年後に、ランスのノートルダム大聖堂においてカトリックの洗礼を受けている。その時に授かった洗礼名が、レオナール・フジタ（Léonard Foujita）だった。イタリア・ルネサンスの巨匠レオナルド・ダ・ヴィンチ

ノートルダム・ド・ラ・ペ礼拝堂（ランス）

（一四五二―一五一九年）に因んだ命名であったという。

ランスの町を、「ゴシック建築の女王」と称されるノートルダム大聖堂からローマ時代の遺構であるマルス門を経て、市道沿いに五〇〇メートルほど歩けば、フジタ礼拝堂が左手に見えてくる。芝生が張られた敷地の奥まったところに立つ建物の大きさは、マティスやピカソの礼拝堂とさして変わらない。竣工は、一九六六年の五月。内壁の各面を飾るフレスコ画の完成を待って、同年一〇月に聖別式が催されている。ロザリオ礼拝堂の精髄が南フランスの陽光を霊妙に彩るステンドグラス群にあるとすれば、フジタ礼拝堂はその魅力の大半を、シャンパーニュ地方特有の石灰岩土壌を思わせる灰白色を基調としたフレスコ画に負っていると言えるだろう。シャンパンの樽に腰掛けて葡萄の房を手にした郷土色豊かな聖母像、猥雑さを漂わせた戯画的な「七つの大罪」図、そして何よりも、イエスの生涯に取材しながら、エキゾチックでどことなく不穏な雰囲気を漂わせる一連のフレスコ画。それらの中にフジタの自画像と同夫人の肖像がさりげなく描き込まれている点も見逃せない。夫妻は現在、「最後の晩餐」を描いた壁画の足許で永久の眠りに就いている。

三者三様の創意を礼拝堂に傾けた三人の画家たちのいずれとも旧知の間柄にあったのが、ジャンルの壁を軽々と乗り越える多彩な才能に恵まれ、画壇にも数多くの知己を持った詩人ジャン・コクトー（一八八九―一九六三年）である。ピカソから一目置かれる画家でもあった彼が晩年に残された貴重な時間の多くを礼拝堂の装飾に費やしている事実は、あまり知られていない。「二十の顔を持つ男」と呼ばれたコクトーは、自らの内なる「詩」を多様な媒体を通じて表現することができたが、肉体的な衰えが顕著になる一九五〇年代後半から死去するまでの間に、彼は壁画という、使いこなすのに最も体力を要する媒体をあえて選択したのだった。ニースに隣接する瀟洒な港町ヴィルフランシュ＝シュル＝メールのサン＝ピエール礼拝堂、パリ近郊の森に抱かれた町ミィ＝ラ＝フォレのサン＝ブレーズ・デ・サンプル礼拝堂、そしてコート・ダジュール西端の町フレジュスのノートルダム・ド・エルサレム礼拝堂。いずれもコクトーが全面的な装飾に取り組んだ一戸建ての礼拝堂である。自らの苗字を冠した通称を持つ礼拝堂の数で言えば、「色彩の魔術師」マティスでも「変貌の画家」ピカソでも「エコール・ド・パリの寵児」藤田嗣治でもなく、この多芸多才な詩人の名前こそが、礼拝堂を創作の場とした二〇世紀の画家たちの筆頭に挙げられて然るべきなのかもしれない。

サン=ブレーズ・デ・サンプル礼拝堂（ミィ=ラ=フォレ）

フジタ礼拝堂が建立される以前に他界したため、和筆を操る線画の名手が描いたフレスコ画をコクトーが目にすることはなかったが、親交のあった二〇世紀美術の二大巨頭が手がけた礼拝堂に関しては、先例として、いや、それ以上に競合作として、彼がそれらを強く意識していたことが、晩年の日記に見られる両者への言及から窺い知れる。そこでは、ヴァンスとヴァロリスの礼拝堂の双方に対して、思いのほか厳しい評価が下されているのである。コクトーは「マティスの描線本来の魅力と聖母子像の描線の漫画的とも思える嘆かわしい程の貧弱さとの乖離」を指摘した上で、「その尖塔〔先述した鉄製の十字架〕と扉のひとつ、それにステンドグラスの彩光の一部を除けば、何の価値もない」〔1952/7/29〕と述べて前者を斬り捨て、後者の壁画に対しても、「ここだけの話だが、『戦争と平和』は『ゲルニカ』に遠く及ばない」〔1959/11〕との冷評を加えている。

2　礼拝堂を装飾した画家たちの信仰心

壁画制作に取り組んだ当時、マティスとフジタは八〇歳に達しており、彼らよりも若かったとはいえ、ピカソやコクトーもすでに七〇歳を超えていた。老境にあってそれぞれに持病を抱えていた画家たちとって、巨大な教会美術作品の制作は心身ともに多大な負担を強いられる過酷な作業であったに違いない。それにもかかわらず、老いた身体を酷使して壁面と格闘することを、彼らは厭わなかったのである。もちろんそれを、死を間近に控えて昂まりを見せる信仰心のなせる業と考えることもできるだろう。フランスは「ローマ・カトリック教会の長女」を自負してきた国である。四人の画家たちが装飾した礼拝堂も、例に洩れず、カトリックの宗教施設として建築されたものだが、そもそも、礼拝堂を装飾するという発想、ひいては教会美術という概念それ自体が、一神教の禁忌である偶像崇拝を狭義に解釈するカトリック教会の下で育まれたものだった。したがって、全身全霊を以て礼拝堂に命を吹き込もうとした彼らの行為には、カトリックへの帰依（あるいは回心）を表明しようとする深意がこめられていたと解することもできそうだが、改めてその顔ぶれを眺めれば、それほど単純な話ではないことに気づかされる。

マティスは自他ともに認める無神論者だった。ロザリオ礼拝堂の装飾を請け負った際に、彼は依頼主であったマリー＝アラン・クチュリエ（一八九七―一九五四）に向かって、「仕事をしているときには神の存在を信じている」との発言をしたと伝えられるが、それを信仰の告白と受け取るのは早計に過ぎるだろう。画家は別の機会に、自らの創作の秘密に関して、「私が自分の十本の指でできるすべてのことをする度に、何かがやって来てそれを仕上げてくれた。それは私が管轄するものではなく、どこか外からやって来るものである」と述べている［Couturier 1,

63, 116-117〕。同様な趣旨の話をクチュリエにした時、「何か〔quelque chose〕」という不定代名詞の代わりに、ドミニコ会の聖職者であった聞き手に対する社交辞令の意味合いもこめて、彼はあえて「神」という言葉を用いたのではないだろうか。マティスが言う「何か」や「神」を、例えば「霊感」という言葉に置き換えてみれば、これらの発言の真意が見えてくるように思える。

ロザリオ礼拝堂を装飾するにあたってカトリック的なモチーフの使用を厭わなかったマティスだが、その描き方に注目すれば、信仰心の介在をそこに認めることにはやはり慎重にならざるを得ない。おそらく老巨匠にとってはノルマに等しかったと考えられる聖ドミニコ像と聖母子像の描写には、興味深い特徴が認められる。いずれも輪郭線のみで、顔が描かれていないのである。マティスはその意図するところについて、「顔を思い起こさせるには記号で充分であって、人々に目や口を押しつける必要は毛頭ありません……観る者の夢想に自由な余地を残すべきです」と述べている〔フルカド、三三〇頁〕。偶像崇拝を禁ずるキリスト教本来の在り方を考慮した創意と受け取れなくもないが、この発言にそのような意図がなかったことは、彼が他日、自ら描いた聖ドミニコ像を「アジアの小さな寺院の中にある大きな仏像」になぞらえていることからも明らかだろう〔Matisse, Couturier, Rayssiguier, 340〕。艶福家であったピカソを袖にした唯一の女性として知られる画家フランソワーズ・ジロー（一九二一年―）との会話の中で、マティスはより端的に、「私は自分が信仰を持っているかどうか知らない。おそらく私はむしろ仏教徒なのかもしれない。大切なのは祈りに近い精神状態で制作することだよ」と述べ、仏教への傾倒を匂わせている［尾野・関、四〇頁］。

ロザリオ礼拝堂は、その立地の悪さにもかかわらず、落成当初から多くの参拝者や観光客を集め、近年ではフランス語と英語のガイドが常駐するなど、コート・ダジュールを代表する観光名所のひとつと化している。この規模の礼拝堂としては異例の現象であり、マティスの取り組みが、画家が礼拝堂の装飾を企図する際のモデルケースとなったことに疑いの余地はないが、留意すべきは、カトリックの信仰を持たない芸術家が装飾した礼拝堂がカトリックの信仰の対象として十全に機能している点だろう。

一九四四年にフランス共産党に入党したピカソの無神論者ぶりは、マティス以上に徹底したものだった。ヴァロリス城の礼拝堂の装飾を思い立った際に、共産主義者であった彼には、カトリックの礼拝堂を甦らせようなどという意識は端からなかったに違いない。時折その進捗状況を確かめるためにヴァンスを訪れるなど、ピカソはロザリオ礼拝堂の装飾に並々ならぬ関心を寄せていたが、その一方で、マティスが宗教的なプロジェクトに手を染めたことを、彼は公然と非難したのだった。マティスも負けてはおらず、当時のピカソ作品に見られる共産党のプロパガンダ的な性格を、「もはや美術ではない」と評して手厳しく批判している。コート・ダジュールで火花を散らした二人の巨匠の宿命的なライバル関係は、やがてマティスの死によって絶たれることになる。その葬儀に出席しなかったことを咎められたピカソは、「いったい誰と話をするというのだ」と述べて喪失感を滲ませたという［ボア、二一二、二三二頁］。

ピカソ礼拝堂は宗教施設としての正式名称を持たない無宗教の「平和の神殿」として構想され、宗教的なモチーフがそこに取り入れられることはなかった。本来であれば祭壇が置かれて然るべき箇所（元々は礼拝堂の扉口があった箇所）には半円形の壁画が配置され、そこには、人種の違いを異なる色で表した四人の人物と彼らが支える球体が、そして地球を表象したものと思われる球体の中には平和の象徴であるオリーヴの枝をくわえた白い鳩の姿が、いずれも晩年のマティスの作品とも相通じる様式化された表現で描かれている。ただ、宗教色を排した壁画であるとはいえ、それがかつてカトリックの礼拝堂であった建物の内部に配置されていることを忘れてはならない。カトリックの宗教施設としての公的な機能が失われている点において、ピカソ礼拝堂は画家たちが装飾した礼拝堂の中にあって異色の存在であると言えるが、真摯な祈りの場としての性格は保たれており、外光がほとんど差し込まない内部空間の峻厳な佇まいには、どことなくカタコンベを連想させるものがある。

放恣な日々を送った若い時分から、藤田嗣治にはマティスやピカソが持ち合わせていなかった宗教画家としての顔があったが、七〇歳を過ぎてから洗礼を受けることを決意した彼の心の軌跡をたどるのは、決して容易いことではない。洗礼式が挙行されたランスのノートルダム大聖堂は、フランス王家の始祖とされるフランク王国のクローヴィスが洗礼を受けた場所であり、その後、歴代のフランス国王の戴冠式の舞台となった。こうした史実に、大勢の財界人やマスコミ人の立ち会いの下で盛大に式が執り行われた事実を考え合わせると、藤田の改宗にはフランス人として生きてゆくための覚悟を固める意味合いもあったことが察せられる。また、「自分を祀る個人美術館の計画は、フジタのライトモチーフの一つだった。〔……〕昔から懐に暖めてきたその計画を、フジタはいまランスの礼拝堂で実現しようとしているのである」という湯原かの子の指摘には、フジタ礼拝堂を純粋な信仰心の賜物と捉えることを躊躇させるに足るものがある〔湯原、二七八頁〕。

日本人の感性で彩られた礼拝堂には、通常のカトリックの文脈には収まりきらない創意が随所に凝らされている。アーチ型の小さな石門をくぐって礼拝堂の扉口に向かう間に来場者が遭遇することになるカルヴェールも、そのひとつである。「カルヴェール〔calvaire〕」は、イエスが磔刑に処せられた丘の名称である「ゴルゴタ」のラテン語訳から派生した言葉であり、イエスの受難を描いた石造モニュメントの総称として用いられる。フジタが創作したカルヴェールは一本の石塔から成る至ってシンプルな形状をしているが、奇妙なことに、その頂に配された肝心のキリスト磔刑像が、衣をまとった幼子の像に置き換えられているのである。石塔の下段に刻まれた人差し指と中指を立てた右手の形状は、受胎告知の場面の天使ガブリエルの右手の仕種に由来するものであると考えられる。したがって、性別が判然としない四頭身の子供は、やはりイエスであると見るべきだろう。十字架上で苦悶する姿の代わりに、うっすらと笑みを浮かべているようにも見える幼子の姿でイエスを具象化したフジタの真意は、俄(にわか)には測りかねるが、彼が戦前に仏陀をやはり幼子の姿で描いている事実が思い起こされる。制作時期の違い、それに彫像と油彩画という表現様式の違いこそあれ、ひとりの画家がキリスト教と仏教の開祖をともに幼少期の姿で表現している点には、興味を掻き立てられる。

画家としてのコクトーの本領は、一筆書きを思わせる線描にあった。面相筆を愛用したフジタのものとは趣を異にする自在な描線に彩られた礼拝堂の壁面には、身元の特定が容易ではない人物像やカトリックの施設には似つかわしくないモチーフなど、観る者を当惑させる謎めいた意匠が散見する。例えば、サン゠ブレーズ・デ・サンプル礼拝堂の祭壇側の壁面にはキリストの「復活図」が描かれているが、彼はその特異性に言及して、「後光が差しているのは、頭の周りではなく、手の周りなのだ。この点については、何世紀にもわたって、多くの人が好奇心をそそられることだろう」〔1959/6/17〕と述べている。こうした意味深長な言葉からも裏付けられるように、コクトーが造形した礼拝堂の装飾には、後世の心ある観察者に対する「謎かけ」とでも言えそうな性格を有するものが少なからず見受けられる。そこには異教的・異端的な含意が見え隠れし、教会美術作品における彼の創意が信仰心の発露とは性格を異にするものであることを暗に物語っている。

キリスト教に対するコクトーの考え方には、何ともアンビヴァレントで理解し難いものがある。例えば、彼が一九五一年七月から死の前日までつけ続けた厖大な量の日記には、「地上への憎しみ」や「人間に対する嫌悪感」、「天上に寄せる唯一の希望」にカトリックの特徴を見出すなど［1957/12/24］、「神の死」を宣言したフリードリヒ・ニーチェ（一八四四—一九〇〇年）の宗教観と軌を一にする記述が見られる一方で、「ニーチェの例に倣うことはできそうにない。私は常にこの上ないキリスト教徒であり続けたいと願っている」［1958/8/14］という一見相矛盾した言葉が綴られていたりする。イエスの「磔刑」とその「復活」を通じた人類の贖罪というキリスト教の教義の枢軸を成す考え方をコクトーが否定的に捉えていたことは、日記の記述からも窺えるが、それとは裏腹に、彼は「磔刑図」と「復活図」を、それぞれロンドンのソーホーに立地するノートルダム・ド・フランス教会内の聖母礼拝堂とサン＝ブレーズ・デ・サンプル礼拝堂の壁面に描き、しかも、ゆくゆくは後者の礼拝堂の中に埋葬されることを希望したのだった。ただ、コクトーの墓所となった礼拝堂の壁画には、確かに「復活図」等のキリスト教に因んだ図柄が用いられてはいるものの、その個性的な内部空間の主役にはなり得ていない。それらを圧倒する存在感を放っているのが、四つの壁面のうちの三面に描かれた一〇本の巨大な薬草の絵柄である。床から天井まで伸びる九種類の薬草の精彩に富んだ描写からは、カトリックの礼拝堂をいわば換骨奪胎せんとする作者の気概がひしひしと伝わってくるように感じられる。

3　永続する展示スペースとしての礼拝堂

宗教色を厳しく排したピカソはもとより、キリスト教的なモチーフを尊重したマティスや自らの礼拝堂に眠るフジタやコクトーの場合ですら、彼らが晩年に敢行した礼拝堂の内部装飾を篤い信仰心に根差した行為と見なすのは、やはり短絡に過ぎると言わざるを得ない。それぞれに個性的な画家たちの礼拝堂には、静謐な祈りの場というよりもむしろ、自己主張の強い個人美術館のような趣がある。そこには、諦観とは程遠い沸き立つような創造の息吹がみなぎっている。年老いた彼らを突き動かしたのは、何にも増して、閉ざされた空間を自己の裁量で思うがままに演出してみたいと願う画家としての内なる欲求であったと考えるべきではないだろうか。すでに見てきたように、マティスとピカソ、それにフジタが手がけた礼拝堂は、いずれも似通った大きさであり、複数残されたコクトーの礼拝堂も、それらとほぼ規模を同じくしている。画家たちの年齢がそうした礼拝堂の容積に反映されていると言えなくもないが、ともあれ、一定の空間をひとりで占有できることこそが、彼らにとって何よりも肝心であったに違いない。

礼拝堂を装飾する過程で画家たちが共通して取り組んだのは、商売道具とも言える絵筆を駆使した壁画制作であったが、注目されるのは、ピカソ以外の三人がいずれも自らの礼拝堂にステンドグラスを導入し、その意匠にまでこだわっている点である（実現はしなかったものの、ピカソも当初、同じことを考えていたらしい［ボア、二一五頁］）。彼らの狙いが、壁面の装飾に限定されたものではなく、占有する空間の演出にまで及んでいたことが、こうした事実からも察せられる。ステンドグラスを通過することによって彩色された陽光は、礼拝堂内の床や壁に射し、時間の経過や日差しの強弱に応じて微妙にその色調を変えながら、そこに光の絵画を描き出すのである。その絵柄のみならず、材質や設置箇所にもこだわり抜いた画家たちは、単なる空間芸術ではなく時間芸術の側面をも併せ持つステンドグラスの特性を充分に認識していたに違いない。マティスは、ロザリオ礼拝堂のステンドグラスが最も映えるのは冬の日の午前一一時であることを、当然のように熟知していた［尾野・関、二四頁］。フジタのアイディアを形にしたのは地元ランスの名匠であり、コクトーがわざわざドイツの工房に製造を依頼したステンドグラスは、礼拝堂の床に埋め込まれた彼の墓石の上に柔らかな彩光を投げかけ続けている。

老画家たちが礼拝堂を創作の場に選んだ動機には、その内部の空間だけではなく、そこに流れる時間も関係していたと考えられる。「芸術は長く人生は短し」という格言があるが、老境に入った芸術家であれば誰しも、精魂こめて生み出した作品が自らの死後にたどる運命に思いを馳せずにはいられないだろう。マルセル・デュシャン（一八八七―一九六八年）のレディメイドやアンディ・ウォーホル（一九二八―一九八七年）のポップアートに典型例が見られるように、二〇世紀芸術は芸術作品の唯一性・一回性を否定する地点にまで歩みを進めることになるのだが、そうした考え方を、たとえ頭では理解できたとしても、心情的に受け入れることができなかった大多数の画家たちは、自らの死後もその作品が永く残ることを切実に願ったに違いない。礼拝堂を装飾した四人の画家たちも例外ではなかったはずである。彼らはおそらく、作品の恒久的な展示を可能にする条件について熟慮を重ねたことだろう。その結果、信仰の場ゆえに末長く保全され得る礼拝堂の壁面やそこに嵌め込まれるステンドグラスが、持続性の高い表現媒体として選択されたのではないだろうか。

ロザリオ礼拝堂に博物館学的な観点から分析を加えた関直子は、「ひとたび作品が手元を離れパブリックなコレクションに入ると、作家の意志よりも常設展示という美術館のそのときどきの美術史解釈の文脈が優先され、その中のひとつの存在になってしまうこと、そして美術館活動という文化行政も、政治や経済の影響を強く受けるということ」をマティスが認識していた点、そして、彼の礼拝堂においては、「タイルに描かれた壁画は壁と一体化し、ステンドグラスは建物の一部となることで、大型の作品が簡単に引き剥がされたり移動されることのない、展示の永続性が確保されている点」を指摘している〔関、一二〇—一二三頁〕。「自分を祀る個人美術館の計画」に執心し、「私が一生かけて描いた数々の絵は、どこかに残るでございましょう。〔……〕必ず絵には永久に生きている魂があると思っております」〔NHK〕という肉声をテープに残した藤田、日記中で同時代の知識人に対する不信感を繰り返し表明し、これはおそらく死海文書を念頭に置いた発言であると思われるが、「私の作品は隠しておくべきなのであって、いずれ洞穴探検家の誰かが発見してくれればいいと思っている」〔1959/6/17〕と述べたコクトー、そして厖大な数の作品を手許に留め置いたまま世を去ったピカソもまた、多かれ少なかれ、マティスと同様な認識で以て礼拝堂に自らの芸術を刻印しようとしたのではないだろうか。だが、いくら作品の在所として適していたとはいえ、彼らが欲した礼拝堂は、本来カトリックの宗教施設だった。

4 「モダンアートの殿堂」プラトー・ダッシー慈悲聖母教会

画家の名前を冠して呼び習わされる小さな礼拝堂が相次いで誕生した理由について、もっぱら画家の側の視点に立って考察をめぐらせてきたが、当然のことながら、画家たちの思惑のみで礼拝堂の装飾が可能になるわけではなく、それを彼らに提供する側、つまりカトリック教会の意向を勘案せずして、こうした現象の持つ意味を正確に理解することはできない。視座を変える上で、今一度確認しておきたいのは、画家たちが礼拝堂の装飾に従事した時期である。マティスがロザリオ礼拝堂に心血を注いだのは、一九四八年から一九五一年にかけてであり、ピカソが『戦争と平和』を制作したのは一九五二年、それが礼拝堂の内壁を飾ったのは一九五四年のことだった。コクトーが一連の礼拝堂装飾に注力したのは、一九五六年から一九六三年にかけてであり、その三年後の一九六六年にフジタ礼拝堂が落成している。ちなみに、実現しなかったものの、ロシア出身のユダヤ人画家マルク・シャガール（一八八七—一九八五年）にも、一九五〇年代に、ヴァンスの街外れに打ち捨てられていた小さな礼拝堂を連作壁画によって甦らせる計画があったという〔宮川、二三一—二三二頁〕。さらに付言すれば、モダニズム建築の旗手として名を馳せたル・コルビュジエ（一八八七—一九六五年）がフランシュ・コンテ地方の山間の小高い丘の上にノートルダム・デュ・オー礼拝堂を築いたのも、やはりこの時代だった。一九五五年に竣工した通称ロンシャン礼拝堂の正面扉には建築家自身が描いた色鮮やかな抽象画が組み込まれており、ステンドグラスにも彼の意匠が活かされるなど、ひとつの空間を一個人が全面的に演出している点において、四人の画家たちの礼拝堂とも共通する性格をそこに認めることができる。

こうして見てくると、画家たちが礼拝堂の内部装飾を手がけるケースが一九五〇年代とその前後の時期に集中していることに気づかされる。ロザリオ礼拝堂がその嚆矢であったと見ることもできそうだが、ひとりの画家がひと棟の礼拝堂の装飾を一手に引き受けたケースには該当しないものの、マティスのものを含む画家たちの礼拝堂のモデルケースになったと考えられる建築物の存在を、ここで指摘しておく必要があるだろう。ヨーロッパ・アルプスの最高峰モンブランを望む標高一〇〇〇メートルの高地にすっくと立つプラトー・ダッシー慈悲聖母教会がそれである。二八メートルの高さを誇る石造りの鐘楼と山小屋風の三角屋根を特徴とするこの教会は、構想と着工から一〇年以上を経た一九五〇年に聖別式を迎えている。教会とは思えない特徴的な彩色が施された正面ファサードを手がけたのは、キュビスムを基に独自の画風を確立したフェルナン・レジェ（一八八一―一九五五年）だが、この教会の装飾に携わったのは彼だけではなかった。その内部には、二〇世紀のフランス美術史を彩る錚々たる芸術家たちの作品が其処彼処に配されているのである。

シャガールがモーセの出エジプトの場面を描いた陶板画、マティスから高く評価され、ピカソからは酷評された色彩の画家ピエール・ボナール（一八六七―一九四七年）が描いた聖フランシスコ・サレジオの肖像画、かつてピカソとともにキュビスムを興したジョルジュ・ブラック（一八八二―一九六三年）の小品、そして「二〇世紀最大の宗教画家」ジョルジュ・ルオー（一八七一―一九五八年）が図案を手がけた五点のステンドグラス。後陣では、織物装飾芸術の復興に尽力した画家ジャン・リュルサ（一八九二―一九六六年）が『ヨハネの黙示録』から想を得て制作した巨大なタペストリーが威容を誇り、祭壇には、ブールデル門下の女性彫刻家ジェルメーヌ・リシエ（一九〇二―一九五九年）の手になるブロンズ製のキリスト磔刑像が設置されている。兄弟子にあたるアルベルト・ジャコメッティ（一九〇一―一九六六年）の作品を髣髴とさせる無骨なまでに切り詰められた表現が物議を醸した異色作である。百花繚乱の様相を呈する作品群の中にあって、黄色地に簡潔な黒い線で描かれた聖ドミニコ像に目を奪われる来場者も少なくあるまい。ロザリオ礼拝堂の聖ドミニコ像と瓜二つの図案が用いられたこの陶板画は、もちろんマティスの作品である。

プラトー・ダッシー慈悲聖母教会には、信仰の場でありながら、さながら「モダンアートの殿堂」とでも形容できそうな独自の趣があるが、それにしても、これほど多くの個性豊かな芸術家たちがこの教会の装飾に関与しており、しかも、ユダヤ教徒のシャガールや共産主義者であったレジェやリュルサのような、カトリックの教会とは相容れないはずの人物や、さらにはマティスやリシエといった無神論者がその大半を占めている事実を、どのように理解すればよいのだろうか。偶然の成り行きであったとは考え難い。そこには何らかの信念を持った何某かの仕掛け人がいたはずである。モダンアートによる教会の装飾を企画・発案し、バックボーンを異にする名だたる芸術家たちをその気にさせた人物。それはほかでもない、ロザリオ礼拝堂の装飾をマティスに依頼した、あのマリー＝アラン・クチュリエだった。このドミニコ会士は、聖職者であると同時に、実際に作品を制作する芸術家でもあり、美術評論家としても知られていた。同時代の芸術家たちと親交を結び、宗教家としても人望が厚かった彼だからこそ、それぞれに一家言を持つ創作者たちの協力を取りつけることができたのだろう。ちなみに、無神論者を公言していたル・コルビュジエにロンシャン礼拝堂の設計を依頼したのも、やはりクチュリエだった。

5　「アッシーの教訓」――芸術と宗教の親和性

美術史家で同じくドミニコ会に所属するレイモン・レガメ（一九〇〇―一九九六年）とともに『聖なる芸術〔L'Art Sacré〕』誌を主宰したクチュリエは、第二次世界大戦後の教会美術の革新運動において主導的な役割を果たし、豊富な人脈を駆使してモダンアートと教会美術の橋渡しに尽力した。北米に赴任した折に現代美術への理解を深めた彼は、具象、抽象の別を問わず、また制作者の政治的な信条や信仰の如何さえも問わず、つまりカトリックの信仰を持たない美術作家をも排除することなく、芸術性が高いと判断した作品を積極的に教会や礼拝堂に迎え入れたのである。プラトー・ダッシー慈悲聖母教会の聖別式の翌日に、クチュリエは「アッシーの教訓〔La Leçon d'Assy〕」と題する小文を起草しているが、その中で彼は、「独立独歩の芸術家の中でも最も偉大な人たちに話を持ちかけてきたが、俗物根性がそうさせたわけではない。彼らが当代随一の有名人であったからでも、時代の最先端をゆく存在であったからでもなく、彼らが最も強く生きていたからである。彼らの中に生命力や天賦の才能や最強の運勢が満ち溢れていたからだ」と述べ、モダンアートの特質が必ずしもキリスト教的とは言えないことを認めた上で、「真の芸術家は皆、霊感を授かった者である。性格的にも気質的にも、真の芸術家は、その気になればいつでも霊的・宗教的な直観を得ることができる資質に恵まれている」との創見を披露している〔Couturier 2, 18〕。

従来、教会美術作品を制作する者がカトリックの信仰を有することは至極当然と考えられてきた。それだけに、真に優れた芸術作品には聖性が宿っていることを説き、信仰を持たない芸術家に対しても教会の門戸を開くクチュリエの考え方は画期的なものであったと言える。精力的に実践の場を設けながら教会美術に新たな地平を拓いた彼の行動力こそが、二〇世紀中葉にモダンアートの巨匠たちが教会や礼拝堂の装飾を手がけるケースが相次いだ最大の要因であったと考えて差し支えあるまい。より正確を期すならば、「ある芸術家が宗教的であるか否かは、彼が選ぶテーマや彼が標榜する信仰によって決まるのではなく、対象から摑み取った形態を自らの「創造的主観性」の要求に従って再構築する行為がなされているか否かに懸かっている」

と考え、ユダヤ教徒であるシャガールの作品の宗教的な価値を認めるなど〔Ladous, 545-560〕、逸早くカトリック思想とモダンアートの融和を唱えた神学者ジャック・マリタン（一八八二―一九七三年）の主張をも、その要因に含めて考えるべきだろう。クチュリエの芸術観にも影響を与えたこの碩学とコクトーとの間に、実に四〇年に及ぶ交友があったことを指摘しておきたい。

こうした芸術と宗教の関係をめぐる新たな思潮は、例えば、「描かれている題材が伝統的な宗教的象徴ではなく世俗的なものであっても、その「描き方」が誠実に人間の窮境や戦慄の体験を表していると見なされる限り、同時にその作品は宗教的な次元を指し示している」と考え、ピカソの『ゲルニカ』を「最もプロテスタント的な絵画」と見なした同時代のドイツの神学者パウル・ティリッヒ（一八八六―一九六五年）の宗教観・芸術観とも通底するものであり〔石川、四一頁〕、クチュリエやマリタンが独自にその流れを創ったと見るよりも、むしろ、伝統的な教会美術の形骸化、ひいてはカトリック教会の影響力の低下に端を発する、いわば歴史の必然であったと理解すべきなのかもしれない。いずれにせよ、もう一方の当事者である芸術家たちは誰しも、信仰の有無にかかわらず、クチュリエたちの言動に共鳴し、勇気づけられたことだろう。とりわけ自らの芸術の行く末に思いを馳せる老巨匠たちの心に、彼らの言葉はことさら魅力的に響いたに違いない。

フジタを除く三人の画家たち（マティス、ピカソ、コクトー）が生を享け、生涯を過ごしたフランスとスペインは、いずれも由緒あるカトリック教国である。彼らにとって、好むと好まざるとにかかわらず、カトリックの信仰は幼少時より自らの血肉となっていたはずであり、教会美術は常に身近に存在し、個人的な思い出と不可分に結びついていたに違いない。したがって、いかに無神論者といえども、死を意識する年齢になれば、宗旨替えはしないまでも、最期に何らかの形でカトリックと折り合いをつけたいと考えるのが人情というものだろう。先述したように、ル・コルビュジエは筋金入りの無神論者であったが、彼が遺書代わりに認めたメモには、自らの死後、その遺体をラ・トゥーレット修道院の教会堂に一晩留め置くことを希望する旨が記されており、その願いは叶えられたという〔范、二六頁〕。リヨン郊外の森に囲まれた傾斜地に立つ同修道院（一九六〇年竣工）は、ロンシャン礼拝堂と同様に、クチュリエからの依頼を受けて設計されたル・コルビュジエ後期の代表作のひとつである。自ら装飾した礼拝堂に眠るフジタやコクトーのケースを思い起こさせるエピソードだが、そこに一晩という限定が加えられている点が、何とも示唆に富んでいる。

神は存在するか否か。存在しない方に賭けた場合、勝ったとしても、得るものはなく、負ければ取り返しのつかないことになってしまう。それならば、たとえ賭けに負けたとしても失うものは何もないため、存在する方に賭けるのが得策である。「パスカルの賭け」と呼ばれる考え方だが、「賭け」の要否が気になり始める年齢を迎えた画家たちにとって、優れた芸術作品に宿る宗教性を指摘したクチュリエやマリタンの考え方は、まさに渡りに船であったに違いない。余計なことを考えずに創作活動に邁進することで、カトリックとの接点が自ずと確保され、さらに踏み込んだ見方をすれば、意図せずして神が存在する方に賭けたことになる。それを知った老巨匠たちの胸の内で、彼岸の生に関する懸念と信仰をめぐる葛藤が少なからず軽減されたであろうことは、想像に難くない。画家たちの礼拝堂に漂う自由闊達な空気は、永続性の高い展示空間と創作の新たな意味づけを得て、彼らが心置きなく自らの芸術を追究した結果としてもたらされたものであると言えるだろう。

参考文献

Cocteau, Jean : Le Passé défini I-VIII. Gallimard. Paris 1983-2013. 本文中に補記された［ ］内の年月日（年／月／日）は、すべてこの日記集の日付である（日にちが明記されていない記述も含まれている）。巻号及び頁数は割愛した。

Couturier, Marie-Alain [Couturier 1]: Se garder libre—Journal(1947-1954). Les Éditions du Cerf. Paris 1962.

Couturier, Marie-Alain [Couturier 2]: «La Leçon d'Assy» in L'Art sacré (septembre-octobre 1950). Les Éditions du Cerf / Georges Lang. Paris 1950.

Ladous, Régis : Marc Chagall et les Maritain—Une définition de l'art religieux— in Revue des sciences religieuses, 84/4. Faculté de théologie catholique de Strasbourg. Strasbourg 2010.

Matisse, Henri; Couturier, M.-A.; Rayssiguier, L.-B. : La Chapelle de Vence—Journal d'une création—. Menil Foundation / Éditions d'art Albert Skira / Les Éditions du Cerf. Paris 1993.

石川明人『ティリッヒの宗教芸術論』北海道大学出版会、二〇〇七年。

尾野正晴・関直子監修『マティスのロザリオ礼拝堂』光琳社出版、一九九六年。

近藤史人『藤田嗣治――「異邦人」の生涯』講談社、二〇〇二年。

関直子「美術館からの距離――マティスのヴァンスでの試み」『西洋美術研究』第一五号、三元社、二〇〇九年。

范毅舜『丘の上の修道院――ル・コルビュジエ最後の風景』田村広子訳、六耀社、二〇一三年。

フルカド、ドミニク編『マティス――画家のノート』二見史郎訳、みすず書房、一九七八年。

ボア、イヴ＝アラン『マチスとピカソ』宮下規久朗監訳、関直子・田平麻子訳、日本経済新聞社、二〇〇〇年。

宮川由衣「M・シャガールによるカルヴェール礼拝堂の装飾構想――〈聖書のメッセージ〉連作における有機的構造をめぐって」『西南学院大学博物館研究紀要』第七号、二〇一九年。

湯原かの子『藤田嗣治――パリからの恋文』新潮社、二〇〇六年。

日本放送協会［NHK］「知られざる藤田嗣治～天才画家の遺言～」『日曜美術館』、二〇一八年九月九日放送。

第8章 マイノリティの「老年の語り」と集団的アイデンティティ
——語りはじめたロマ

野端聡美

1　世代をつなぐための「語り」

幼い頃に祖父や祖母の昔語りを聞き、驚きやとまどいを感じた経験を持つ人は多いだろう。老年者がかつては自分と同じように少年や少女であったこと。彼らの青春時代は、今とは大きく異なっていたこと。祖父母らの昔語りは、そうした事実をわれわれに突き付けると同時にある種の未来への予感を抱かせる。聞き手であるわれわれは、自分も将来、今からは想像もつかない世の中に生きるであろうことを漠然と納得し、そしてまた、やがて老い、自分の体験を次の世代に伝える日が来るのだろう、という「時の連なり」を予感する。「私に連なる歴史の確かな存在」を実感することは、前世代から次世代への流れの中に自らを位置づけることを可能にし、個人的及び集団的アイデンティティを形作る重要な要素となるのだ。

このような、世代を結び集団全体の維持に深く関わる「語り」を巡り大きな変化に直面しているマイノリティがいる。現在ヨーロッパを中心に一〇〇〇万～一二〇〇万人存在すると言われる、伝統的にはジプシー〔Gypsy〕やツィゴイナー〔Zigeuner〕と呼ばれてきた民族である。本章でこのマイノリティ集団の「語り」について論じるにあたり、まずはこの集団の呼称について述べておきたい。前述したジプシーやツィゴイナーといった名称は、マジョリティから与えられた蔑称であるとして現在は忌避される傾向にある。それに代わるポリティカリーコレクトなものとして、現在は「ロマ」という呼称が広く採用されている。「ロマ」とは民族の言語で人間を指す言葉であり、一九七一年ロンドンで開催された第一回国際ロマ会議において、民族を指す総称として採択された〔水谷、七頁〕。煩雑さを避けるため、本章ではロマという呼称を用いることにする。ただし、引用する文の中で他の名称が使われている場合は、そのまま変更せずにおく。また、ロマは多くのグループに分かれており、別の自称が定着している例も多い。例として、主に中央ヨーロッパに暮らすグループは自身をシンティ〔Sinti〕と呼ぶ。本章の四節で言及する人物は自身を常にシンティと称しているため、シンティという名称をそのまま用いている。

ロマはインドに起源を持つ民族とされ、故郷を離れて移動し一五世紀頃ヨーロッパに到着したことが定説となっている。以来ロマは、マジョリティにとって迫害と差別の対象であると同時に異国的、神秘的なイメージの担い手であった。土地を所有せず、仕事を求めて季節ごとに移動するグループが多く、それゆえに自由な放浪者として美化されたイメージを与えられたり、人さらいや盗人と見なされ迫害されたりした。ロマの多くのグループは、伝統的にマジョリティとは必要以上に関わろうとせず、閉じたコミュニティの中で暮らしてきた。自身を世界から隔絶してきたロマにとって、民族の歴史やアイデンティティといったものは長い間馴染みのないものであった。

しかしながら近年、多くのロマが「語る」ことを通してこうした課題に取り組み始めている。彼らはホロコースト体験についての手記や、かつての放浪生活を綴った伝記を発表するようになったのだ。ロマがこうして世界に向けて発信するのは、その歴史の中で全く初めてのことである。こうした手記や伝記の成立には、ロマが体験した歴史的悲劇に関する記憶の継承と、集団的アイデンティティの維持への危機感が大きく関わっている。そしてその背景には、老年に至ったロマたちの次世代に向けた切実な願いがあった。つまり、ホロコーストの悲劇やかつての生活の記憶を若い世代と共有し、民族内で共通の「歴史の俯瞰」を得たい、という願望である。ロマたちの新たな「語り」を理解するには、そもそも彼らが持っていた独特な歴史観や「語り」の捉え方といったいくつかの点を整理する必要がある。本章では、ロマの特異な民族観や歴史観を紹介しつつ、現在老年期にあるロマたちの危機感について概観を得たい。そうすることで、老年者が語ることによって世代間に一つの軸を通し、集団的アイデンティティを保とうとする昨今のムーヴメントについて、何らかの理解を深める道筋をつけられればと考える。

2 老いてから語る

● 老年者が次世代に語るとはどういうことか

はじめに、老年者が若い世代に語る行為について、その心理学的な背景に触れておきたい。一般的に老年者の語りの背景には、孫や若者に昔の事を語ることで人生訓を与えたいという願いがあると考えられる。もしくは、若い世代に自分に関する記憶を残し、覚えていてもらいたいという願望があると推察される。いずれにしても、老年期にあるという語り手の状況が、語りを促すという点は考慮に入れなくてはならない。他の年代との比較によって浮かび上がってくる老年期の特徴とは、何よりも死の接近を感じることと、これまで持っていた体力や能力の衰えを感じることである。精神分析家であるエリク・H・エリクソン〔Erik H. Erikson〕は、人間の各年齢層における心理的な発達と、その時期のアイデンティティ形成について研究した。

エリクソンは老年期を「それ以前の極く初めの段階から獲得してきた能力や特性のかかわりあいが、今度は発達の逆行といったものを経験していく」〔エリクソン、一九九〇年、五四頁〕時期であると論じ、それゆえに、他の年齢層には無い心理的傾向があると指摘している。つまり、「以前の段階で経験した発達上の関心事の多くと再び対面すること」〔エリクソン、一九九〇年、五四頁〕に迫られるのである。これまで生きて来た人生を再吟味し自分の中で折り合いをつけようとするのは、高齢になって迫る衰えや死に対する絶望とのバランスをとるためであるとされる。それゆえ、老年者は過去に下した決断や身に降りかかった不幸といったものも、自分が生きた生の一部として「統合」しようとする。「老いてからの語り」は、こうしたアイデンティティの統合の課題と深く結びついている。

さらにエリクソンは、老年者が子や孫たちを「無限の未来に延びる自分自身の延長」であると考える傾向にあることを強調している。その心理的背景には、自分の血縁者や自分に似た要素を持つ者がこれから生きる人生に思いを馳せることで、自分の死を乗り越えたいという願望がある。こうして、老年者から若い世代への時間の連続性が生まれ、語りには未来への視点が込められることになるのである。

●世代間継承が生み出す物語性

老年者が、次世代が生きる未来を見据えて昔を語るのは、一般的には若者たちの幸福を願い、人生をより良く生きて欲しい、と望むからである。それは、かつて自分に降りかかった災難を次世代が体験せずにいて欲しい、もしくは、自分が体験した幸福を後継者たちにも同じように享受して欲しい、という願望である。しかし、昔語りの動機はそれだけではなく、老年者が自身の人生に意味付けをし、死を越えてもなお意味を持ち続けるものとなるようにすることでもある。意味付けをするとは、「自分の生が過去と未来に繋がっている」ことを実感することに他ならない。一見逆説的に見えるが、自身を世代の連続性の中に置くことで、「私が経験したもの」に理由や意味を見出すことができるようになる。小澤義雄が世代間継承についての心理学的研究で指摘しているように、過去から現在にかけての無数の出来事は若年者に向けて語られることによって、つまり次世代との関係を持つことで、「連続性を持った物語」として意味を帯びるようになる。さらに、前世代と次世代は本来他者であるが、それらと連続性を持つことで相対的に「私が経験したもの」に理由や意味を見出すことが可能になると論じている［小澤、一八四頁］。世代間継承が生み出す物語性は、語り手のこれまでの生き方を肯定するだけではなく、人生の終わりが近づいた老年者を絶望から救うこともできる。つまり、自分自身の死が近づいているという絶望と、「自分が今まで親しんできた形での世界全体も同じように終わりになろうとしているかもしれない」という絶望を避けることができるのだ［エリクソン、一九九〇年、七一―七二頁］。後継者たちが、自分が体験したものと同じような世界に、自分と同じように、もしくはより良い形で存在し続けるというイメージを持つことは、老年者が避けられない絶望を回避する手段であると言えるだろう。

ここまで、一般的なライフサイクルにおける老年期の語りについて論じてきたが、次節では、ロマが伝統的にいかに過去を語ってきたか、そして語ることをどう捉えてきたかについて考察を進めていきたい。

３　ロマの語り

●異質というアイデンティティ

ロマの独特の歴史観や語りの概念を理解するには、ヨーロッパに生活するマイノリティとしての特異性を考慮する必要があるだろう。比較言語学的研究によって、ロマはインド北西部に由来する民族であり、六世紀～九世紀の間に故郷を離れ移動し始め、一五世紀には既にヨーロッパ中部まで到達していたとされている［水谷、二二六頁］。現在ロマは小さなグループに分かれてヨーロッパ全域に暮らしているが、どのようなルートを通り、またどのような過程を経て各々の地に住むようになったか、ということについてはほとんど解明されていない。またいずれの土地においてもロマは、その独特な放浪生活のスタイルを守り続けてきたこともあり、市民や国民として見なされることは皆無であった。また、浅黒い肌を持つ者が多く、独自の慣習に従って暮らし、頑なに市民社会への同化を拒否してきたことから、マジョリティからは厄介で危険な隣人と見なされてきた。しかしその一方で、彼らは優れた演奏家、踊り手、占い師、鍛冶屋、馬乗りや熊使いとして限定的にではあるが市民生活に受け入れられてきた側面もあり、いわば中間的な他者として特異な位置を占めてきたと言える。ロマが市民社会に同化しなかった背景には、実は戦略的な動機があったとされる。つまりエキゾチックであり続けることで、逆説的に社会に受け入れられやすくなる状況があった［フォンセーカ、三一六頁］。ロマが上述したような職業に就き、中間的な他者として存在し得たのは、マジョリティが彼らのステレオタイプな異質性に安心感を抱いたからだった。あえて同化せずにいることで、ロマは「保障された他者」として社会の周縁に居場所を保持し、同時にグループ内の集団的アイデンティティを保つことが可能となった。

祖国を持たないという点でロマとユダヤ人は頻繁に比較対象に挙げられるが、マジョリティの中における振る舞いという点では、二つの民族は大きく異なっている。一九世紀に東欧のロマを研究した民族学者アントン・ヘルマン〔Anton Herrmann〕は、この対照性はそれぞれの集団がマジョリティに囲まれて過ごす中で身に着けた「生きる知恵」に起因すると指摘している[Hohmann, 39]。ユダヤ人は強い宗教性、強固な家族関係や古い習慣を守り、驚くほどの忍耐力で民族としてのアイデンティティを保持してきた。しかし同時に、マジョリティと同等の教養や学歴を得たり、土地や家、財産を所有したりすることで、市民社会に深く侵入し大きな影響力を持つに至った。そうしたユダヤ人とは対照的に、ロマは土地や財産の所有に固執することなく（もしくは、土地や財産を保持することを許されることなく）、いわば共産主義的とも言える価値観に基づいて生活を送ってきた。そのためか、マジョリティと交わることは極めて少なかった[Hohmann, 39]。また、ロマは教会に属することは許されなかったことや、各々の集団が居住地域の宗教を取り入れて信仰してきたことから、民族を強く結びつけるような単一の宗教を持つこともなかった［フォンセーカ、七〇―七一頁］。

以上に見てきたようなマジョリティとの関わり方は、歴史の捉え方や、語ることへの意味付けに大きく影響を与える。以降は、ロマの伝統的な「語り」について述べていきたい。

●ロマの瞬間的な「語り」

前述したように、ロマとユダヤ人はヨーロッパに住むマイノリティとして好対照を成すが、その中でもそれぞれの「過去の語り」に対する姿勢において二つの民族は最も明確に相違している。ユダヤ人はその民族的由来を、最初の人類まで遡れるように記述してきたのに対し、ロマは「いつ、だれが、何を」という出来事をほとんど残してこなかった。彼らは創世をめぐる神話や自分たちの起源にまつわる神話を持たないし、過去から現在に流れる歴史の連続性を持たない。ロマのコミュニティにおいて、老年者は豊富な経験や知識を持つものとして尊敬されてはいた。しかしながら、彼らのエピソードはごく小さな家族集団の中でせいぜい三、四世代継承されるのみで、多くの情報は失われてしまった［フォンセーカ、三二五頁］。ロマが長い時間軸を持つ民族の記憶を残せなかった背景には、まず文字を持たなかったこと、そして季節ごとに移動して暮らしていた故に、死者はその地に葬って先に進まなくてはならなかったという事情がある。それゆえ、一族が長年暮らした土地や先祖が眠る墓というものを持たず、集団としての歴史を作り共有することは叶わなかった。

無論ロマは「語り」を持つ。これまでの暮らしや、亡くなった者たちのエピソードは家族の集まりやグループ同士の集まりで披露されたが、それらの「語り」は音と深く結びつき、即興的に歌われた。アントン・ヘルマンは東欧に暮らすロマの歌や昔話を収集し研究した際、ロマの「過去の記憶」は披露される場面によって変更を加えられ、形を定められないまま歌われることを知った。ロマ集団に関わる重大な事件が起こったとしても、感覚的、即興的に歌われるために、記憶は瞬く間に享受され失われてしまう。ヘルマンは、ロマの歌は「歌ったそばから失われてしまう」ため、「ツィゴイナーではない研究者」が書きつけておかなければならない、と考えた。ヘルマンは同時に、ユダヤ人とロマの「過去の記憶」への姿勢の相違は何に起因するのか、という問いに取り組み、「詩作の継承性の欠如が、ツィゴイナーが彼らの前時代の一つ一つの記憶を失ってしまった理由」だと結論付けている［Hohmann, 50］。ロマとは対照的に、ユダヤ人は「語り」を享楽から切り離し、いかに記憶を固定化し形を保持したまま広めるかということを重要視してきた。それゆえ、ユダヤ民族がいつ、どこで誕生し、どのような経緯でヨーロッパに到着したか、という民族集団的な「歴史」から、個々の家族のルーツに至るまで大切に記録し、次世代に継承してきた。だからこそ、ロマと同様に「国を持たないマイノリティ」として存在しつつも、ユダヤ人としての強力な集団的アイデンティティを保つことができたのである。

●ロマの語りと「真実」

ロマが過去を語る際の内容の取捨選択にも、彼らの独特な時間感覚が大きく関わっている。伝統的にロマには、「われわれはどこから来たか」という過去から、「われわれはこれからどこへ行くか」という未来へと繋がる見通しが欠如していた。この見通しを欠いているということは、言い換えると「現在のわれわれの場所」を見失っている状態、つまり世界の時の流れから疎外されたような状態にあるということである。ロマはそうした真空状態に長く存在していたマイノリティであり、それゆえに特異な形で「われわれとは何者か」を伝えてきた。先祖や自分の世代の「だれが、いつ、どこで、なにをしてきたか」という一つ一つの事実を遺すことよりも、ロマの誰もが経験するような悲劇や生活の苦難を、「高度に洗練され、様式化された集団としての経験」として共有することを重要視してきた。こうした民族の「真実」を込めた詩や歌を多く記憶している者は尊敬され、更に繰り返し「真実」を広めていった［フォンセーカ、一六頁］。前述した民族学者アントン・ヘルマンが収集した伝統的な歌からいくつかを紹介したい。


母よ、悲しまないで。

あなたの息子はひとり見知らぬ土地に眠っている。

僕の憩うところにはいつでも神様がいらっしゃり、
僕を覆う大地の上にはいつも天国があるのです。

［Hohmann, 283（いずれもハンガリーのロマの詩を独訳したものを、引用者が和訳したもの）］

森は私の家。

ここで老いて朽ちるまで弔い続けよう。
母がまだ生きていた時は
このように心細くなったことなどなかったのに。

母が亡くなってからは、
美しい朝焼けにすら慰められることはない。
私を喜びへと運んでくれるものは何もない
昨日も、今日も。

もう喜びを感じることは二度とない。
泥や埃で痛む踵を引きずり
私はさすらい、人生と手を切ってしまおう。
そしていつか墓へと降りていくその日を待とう。［Hohmann, 289］

「真実」を伝える歌や詩には、親や兄弟を失った悲しみ、離れたところで亡くなってしまった仲間への同情、無慈悲に捕えられ監獄に入れられた悔しさといったものが歌われる。それらの悲劇は、個別の状況といったものはあえて剥がされ、ロマなら誰でも経験し、見聞きし得る普遍的な「真実（ポーランドに住むロマの言葉では「チャチモス」と呼ばれる）」のみが残されている。東欧に暮らすロマの言語や文化を取材してきたイザベル・フォンセーカ［Isabel Fonseca］は、ロマの集団的アイデンティティは「われわれは世界の外にある」というものであり、それゆえ詩や歌は「すべてを運命と諦める強い諦念に彩られている」［フォンセーカ、一四―一六頁］と指摘する。ユダヤ人のように積極的に社会に生存圏を広げていくのではなく、ロマはマジョリティとの接触を最低限に抑えることで集団を保ってきた。彼らは「世界との関わりの記憶」の積み重ねをしなかったため、「ロマとして生まれたからには、（先祖たちのように）こう生きる宿命にある」というような、いわば経験を事前に刷り込むような目的のために「語り」を用いたのではないか。そうした刷り込みの装置として機能する「語り」がロマを囲い込む形で集団的アイデンティティを保ってきたと考えることができる。

しかしながら、現代に近づくにつれ「世界と関わらない」という伝統的な在り方は困難になる。また、ホロコーストという悲劇を目の当たりにしてしまった者たちは老齢に差し掛かるにつれ、悲壮な使命感に囚われるようになった。つまり、無理やりに世界に引き込まれ、民族の生命や暮らしが破壊された事実を伝えないままで良いのか。そしてロマとしてその後の時代をどう生きるべきか、若い世代に問いを投げかけなくて良いのか。そういった衝動が老年期のロマを捉え、その「語り」に変化が生じた。こうして第二次世界大戦以降、多くのロマが自伝を執筆し、過去の体験を語るようになった。

4　新たな語り

●パプーシャの歌と追放

ホロコースト後のロマの語りを理解する上で、その新たな語りの先駆けとなった詩人、パプーシャ〔Papusza〕について述べておきたい。このロマ女性は二〇一三年に発表されたポーランド映画『パプーシャの黒い瞳』によってさらに多くの人に知られることとなったが、それ以前からポーランドでは最も著名なロマ詩人であった。パプーシャ（本名はブロニスワヴァ・ヴァイス〔Bronisława Wajs〕）が大きな注目を集めたのは、放浪生活の合間に文字を習い、ロマとしておそらく初めてポーランド語で詩を発表した人物だったことだ［フォンセーカ、一三頁］。パプーシャの詩は脚光を浴び、ロマの思想や心情を多くの人に知らしめることになった。彼女が発表した詩に次のような一篇がある。

おお、偉大で貧しいジプシーたちよ！

この世界でのあなたたちの生きかたはどう?
あなたたちは何も読めず、書けもしない。
この先も、それができる人は出やしない。
死がひとりまたひとりと連れ去っていく。
あなたたちの後には何も残らない。
でも私は書く、できるかぎり、
たびたび涙を流しはしても。
そして人々に何かを残す、
世界は私を知り、思い出す、
かつて不幸で貧しい
ジプシー女がひとりいて、読み書きをしたがり、
ジプシーの歌を歌いたがったと。[武井、二〇—二一頁(和訳は武井摩利氏によるもの)]

この詩が表しているように、パプーシャの詩作の動機は「死がひとりひとりと連れ去っていき」、「後には何も残らない」という民族の運命への抵抗である。何かを残すこと、世界に認知されること、死後に思い出されることを望む故の語りであった。しかしながら、「ロマとして

世界に存在しよう」としたパプーシャの望みは他のロマには容れられなかった。それどころか、彼女は「民族を丸裸にした」者として集団から終身追放の罰を受けた〔フォンセーカ、二〇頁〕。古くからの「自分たちは世界とは相容れない存在であり続けるべきだ」という信念に基づき生きていたロマたちは、その集団の内面を外界にさらしたパプーシャを追放したのだ。加えて、パプーシャの詩が「集団的で抽象的なもの」ではなく「私的で綿密に観察された世界」を再現しようとしていることが、これまでのロマの語りとは大きく異なる点であり、他のロマを警戒させた〔フォンセーカ、一七頁〕。「私」という人物が「いつ、どこでなにを体験し、考えたか」という特定の出来事や場所のことを歌う行為は、それほどロマの伝統的価値観にそぐわないものだった。

パプーシャはロマへの迫害についても、「いつ、どこで、だれが何をしたか、されたか」を詳細に語っている。特にホロコーストは当時三〇代だったパプーシャに強烈な印象を残し、幌馬車での放浪生活の中で目撃した迫害や、噂に聞いたアウシュヴィッツでの虐殺を多く詩にした。実際、民族全体を襲ったホロコーストの惨劇は、後に多くのロマによって歌にされた。「アウシュヴィッツ」という単語は東欧のロマにとって悲劇的史実のシンボルとなり、詩作のきっかけを与えた。しかしながら、アウシュヴィッツについての歌のほとんどは早い段階で消えてしまった。パプーシャの詩の発表に尽力したポーランド詩人、イェジ・フィツォフスキ〔Jerzy

Ficowski〕は、彼の著作の中でロマがホロコーストの記憶を失っていく過程を次のように述べている。「時が流れるに従い、過去の足跡を容易に失いがちなジプシーの記憶はその時代の目撃者の減少とともに薄れていき、歌の中にあった具体的な現実感もやがて消え去る。それらの歌自体は、もしも部分的に残ったなら、先行する牢獄の歌〔民族の苦難を歌ったロマの伝統的な歌を示す〕に似たものに――つまり、時代や場所の歴史的背景から離れた嘆きの歌に――なっていく」〔武井、七五頁〕。パプーシャの詩が後世まで残ることになったのは、彼女が「ペンと紙」を使ったからであり、詩の形を固定化し永続化することに成功したからである。また書きつけることによって、彼女の詩はそれまでのものに比較して深い考察、複雑な筋立てを得ることになった。「血の涙。四三年と四四年にヴォウィンの森でドイツ人たちのために私たちは何をくぐり抜けたか」という題の自伝的な詩は、迫害と大量虐殺を目撃した証言であり、ポーランドに生きたロマとしていかに悲しみ、憤り、怯え絶望したか、という時と土地に根差した個人的な感情を歌っている〔武井、九〇―九三頁〕。「私」を世界に、歴史に刻み付けようとしたパプーシャの行為は、共同体から敵視され永久に追放された。しかしながら、歴史を証言し、記憶を後の世代に残すという姿勢がロマの語りに新たな境地を開いたことは疑いない。

●セイヤ・ストイカの老年の語り

オーストリア出身のセイヤ・ストイカ〔Ceija Stojka〕は、その老年に差し掛かった一九八八年と一九九二年に自伝を発表し、民族について語った初めてのオーストリアのロマ女性として大きな注目を集めた。また、ホロコーストのロマ被害者として各所で発言したことも人々の記憶に残った。彼女が一九八八年に発表した初めての自伝『われわれは陰に生きる〔Wir leben im Verborgenen〕』において、幼少期の放浪生活からアウシュヴィッツへの移送、一九四五年の収容所解放までの体験を、続いて一九九二年に発表した二冊目の自伝『世界を放浪する者〔Reisende auf der Welt〕』では、戦後のオーストリア・ロマが対峙した困難や民族に生じた変化について語っている。特にロマ集団の因習やホロコーストでの被害について生々しく証言しているが、このことでパプーシャと同様に、ストイカは夫、家族、そして集団全体から強い批判を受けることになった。

ストイカは記憶を共有することの難しさを自伝の中で次のように述べている。「私にとって非常に残念なことは、母とは一度もそのこと〔ホロコーストのこと〕を話さなかったことだ〔……〕そして兄弟や姉妹と話すことも難しかった。人々はこう言っていた。「いや、それを体験したのはもう昔のことだ。もうその事には関わりたくない」。しかし実際には、どのジプシーも夜は悪夢にうなされていた。そして子どもたちに同じようなことが再び起こったらどうしよう、と不安に思っていた。少しの間なら、ホロコーストについて何か切り出し議論することはできるだろう。しかし長くはもたない。すぐに誰かが言う。「もうよせ、もうよせ、もうたくさんだろう。もう一度死を体験しろと言うのか。もう少しだけ生を楽しませてくれよ」。それで私は仲間内で語ることを完全に諦めてしまった。そして、自分自身で折り合いをつけなくては、と自分に言い聞かせた」[Stojka, 159]。多くのロマにとってホロコーストについて語ることは、民族に起きた悲劇を再度呼び起こすという恐怖を伴う行為であり、ほとんどの者は戦後口を閉ざした。戦後間もない頃は、自身の体験を歌う者が多くいたが、いずれも記録に留められることはなかったため、それまでの伝統的な歌と同様に、ホロコーストの記憶は集団から消滅しかかっていた。こうした危機感がセイヤを証言へと突き動かした。彼女はこの途方もない悲劇を集団全体で何らかの形で消化し、次世代に継承していく可能性を見つけようとして「語る」ことを決心したのだ。

ストイカの自伝執筆の動機はしかしながら過去の悲惨な体験だけではない。彼女は二冊目の自伝中で繰り返し、民族の未来への懸念を強調している。ストイカは、ホロコーストがもたらしたのは家族や仲間の死、といった一義的な悲劇のみではなく、民族としての在り方そのものの消滅の危機だと主張している。ホロコーストによって生命や生活の場を奪われたことに加え、そのきっかけとなった悲劇を共同体の内で消化することもできない状況は、民族に深刻な

「断絶」をもたらす。親や自分が持っていたような自意識、思想や文化などが、これまでと同じように次世代に伝わっていかないだろうという危惧は、多くの者が禁を破り「私はロマとしてこう生きた」という体験を語らせる契機となった。民族の断絶に際して初めて、ロマは前世代から次世代への連続の中に己を見出すことになった。ストイカもまた、アントン・ヘルマンら研究者が言及したようにロマが自己の歴史を持たなかったことに危機意識を抱き、自伝の中で次のように述べている。

「〔……〕誰かがそれをしなくてはならない、つまり、私たちの中から、何かを歴史として記録しておかなくてはならない。どの民族も、例えば二〇〇年前に何が起きたか、ということについて証言が残っている。しかし二〇〇年前のロマやシンティに何があったか、ほとんどの人は知らない。私たちの古い文化はほとんど失われてしまった」[Stojka, 241]。「いつ、どのロマがどこで生きていたか、遡って知ることができるようにならなくてはならない。多くの出来事があり、ロマは非常に苦しんできた。そして私たちはもうそれほど多くは残っていない。誰が私たちの文化を後世に伝えていくのだろうか？〔……〕私がその任を引き受けよう。〔……〕私はできる限り、どれほど小さいものでも証言をしたい。なぜならそれは、次の世代に、私たちの子どもの子どもに、オーストリアや他の国に住むロマにとって良い証言だからだ。オーストリアのひとりのロマ女性が、勇気を出して危険に身を晒して何かを訴えようとした事を知れば、多くのロマは喜ぶだろう」［Stojka, 241-244］。

　二〇一三年に亡くなるまで、ストイカは若い世代に向けて語り続けた。ロマ民族が自身の歴史を認識し先の世代へ繋いでいって欲しい、それによってロマとしてアイデンティティを保ち続けて欲しい。彼女の語りには、そうした老年者としての切実な願いが込められている。

5　アイデンティティの不明瞭さ

●「自分たち探し」のためのプロジェクト

　老齢のロマたちはアイデンティティを次世代に継承することに心を砕くが、それに伴いロマはある根本的で逆説的な問いと向き合わざるを得なくなった。つまり、「そもそもロマとは何なのか」という自己規定の問いである。これまで、ロマは自分たちを集団として称する表現や概念を持たなかった。彼らはそれぞれ異なった部族や氏族に属していたに過ぎず、各グループは異なる名で呼ばれており、遠くの地に住む者たちと連帯感を持つことなど不可能だった。ヨーロッパ人から与えられた「ジプシー」や「ツィゴイナー」という名称は、何か全体的な大きなグループがあることを暗示してはいても、それは専らマジョリティが彼らをどう見ているかを示しているのであって、彼らが自分たちをどう見ているかを精確に表しているわけではない。「ロマという民族に属する」という認識は実は生まれたばかりであり、まだ全ての者に共有されているわけではないのである〔フォンセーカ、三六五―三六六頁〕。

これまで非ロマの研究者によって扱われてきたロマのアイデンティティの問題は、現代になって初めてロマ自身の手に移った。研究者のロマや人権活動家のロマと並び、この問いに取り組もうとした一人がマルクス・ラインハルト〔Markus Reinhardt〕というドイツにルーツを持つシンティ（主に中央ヨーロッパに暮らすロマの自称）である。マルクス・ラインハルトはケルンを中心にジプシーバンドとして活動する音楽家であり、ベルギー出身の高名なジャズギター奏者、ジャンゴ・ラインハルト〔Django Reinhardt〕の親族でもある。彼は常々、ロマ民族が自身のルーツを知らないことを奇異に感じていた。また、世界中に散らばった民族が集団的アイデンティティを共有することは果たして可能なのか、ということに関心を持ち、これらの疑問を解決するためのプロジェクトを立ち上げた。『ジプシーがやってくる！〔Die Zigeuner kommen!〕』と名づけられたこのプロジェクトの目的は、世界に散らばって住むロマを訪ね、ロマはどこから来たか、ロマとは何者かを再定義することであった。旅は民族由来の地とされるインドのパンジャブ地方から始まり、その後はトルコやヨーロッパ各地の計一四カ国を巡る大規模なものとなったが〔Schmidt, 13〕、簡潔に述べると、ラインハルトのプロジェクトは目的を達成できないまま終わることになる。自身をロマと称する者、居住国の国民だと主張する者、複数のアイデンティティの間で苦悩する者、マジョリティに対して敵対的な者や友好的な者、ロマの独立国家樹立を願う者、マジョリティに同化したいと望む者。ロマが自身をどう捉えるかは非常に多様であり、残念ながら、集団全体でアイデンティティについて議論する機会を逃し続けてきた。結局、プロジェクトの当初の目的であった「ロマとは何か」という明確な定義付けがいかに難解か、ということを提示する結果に終わることとなった。

●「根」を求めるロマ

そもそも各地に生きるロマを訪ねようという企画が生まれたのは、マルクスがフライブルクに暮らす大叔父、ギガ・ラインハルト〔Giga Reinhardt〕を訪ねた時であった。ギガはフライブルクのシンティ集団の裁定者〔Rechtsprecher（集団にとって重要な判断を下す人物）〕を長年務めた人物であり、マルクスが訪ねた時には既に人生の最晩年にあった。一八九七年生まれのギガは、ロマの現状と未来に深い絶望を抱いていた。ギガは現在のロマは、ルーツを忘れてしまった、言葉通り「根無し草」のような存在になってしまった、と憂う。その理由は、現在の多くのロマが放浪生活をやめ、マジョリティから保護を受けて（同時に管理されて）生きるようになったことだ。「われわれシンティ〔ここでは集団の総称としてこの名称が用いられている〕はかつて誇り高く生きてきた。しかし、その誇りは無為に屈してしまった。かつてわれわれが誇りに思っていたものについて、もはや気にかける必要もない。そういったことは、全て民生局やら社会福祉士やらボランティアやら、シンティに好意的な連中がやってくれる。われわれをシンティたらしめるものを、われわれはもはや知らない。そしてわれわれにとってのルーツであるはずの誉というものを失ってしまった」［Schmidt, 82］と、ギガは失望を込めて語る。

老ギガの懸念は、今後ロマが民族としてのアイデンティティを失ってしまうことであるが、それはマジョリティに同化することを意味するわけではない。これまでの生活形態を失いマジョリティに保護される形で暮らすことで、「ガージェ〔非ロマを指す〕にもなれないし、シンティにもなれない」［Schmidt, 82］という「根を失った」状態になることである。根とはここでは、「自分の中心」であり、精神分析家エリクソンによれば「変化する運命に直面しながら、同一性（セイムネス）と持続性（コンティニュイティ）を持ち続ける自我の能力」［エリクソン、二〇一六年、八九―九〇頁］、つまりアイデンティティを支えるものである。本来であれば何代もつながっていく世代の中で培われるはずの「人の根」は、しかしながら大規模で悲惨な民族の移動で失われてしまうものだと言う。エリクソンはこれを「根こぎ」と呼んでいるが［エリクソン、二〇一六年、七八―八〇頁］、まさにホロコーストでの迫害や虐殺は、多くのロマの根を奪ってしまった大惨事であった。

「根こぎ」されてしまったということは、つまりこれまでの記憶や因習の蓄積も失ってしまうことであり、必然的に語りも中断されてしまう。老ギガは、根をなくしてしまったことで「間もなくシンティは消えてしまうだろう」と語る。なぜなら、自身の中心に据えるべき過去を忘れてしまったからであり、ギガが以下のように語る通り、前世代から次世代への継承のプロセスも阻害されてしまったからだ。「まだ生きている数少ない老人でさえもかつてシンティはどのように生きていたかを忘れてしまっている。どんな苦しみを背負い、どんな喜びを得たかということも忘れ、そして葬り去ってしまった。老いた人々はもはや若者に語ろうとせず、若い人々は老人から何も知ることは無い」[Schmidt, 85]。

大叔父ギガが死の直前に語った民族の未来に対する憂慮は、マルクス・ラインハルトに強い衝撃を与え、ヨーロッパ中のロマを訪ねるプロジェクトに思い至らせたと言う。旅の当初の目的は「民族のルーツを知ること」であったが、そこに「予想できない時代の変化をロマがどう生き延びるかを探る」という新たな目的が加わることになった[Schmidt, 86]。

6　歴史に組み込まれたロマを維持する「語り」

これまで、老齢に至ったロマの懸念とそれに関わる「語り」を紹介してきたが、最後にロマをとりまく環境と、アイデンティティの継承の課題について総括したい。一五世紀にヨーロッパに到着して以来、常に貧困や迫害に苦しんできたロマだが、「異質なもの」というステレオタイプを逆手に各地で小さなマイノリティ集団として生存権を得てきた。彼らが市民として庇護されることはなかったし、時には謂われない偏見のせいで虐殺の対象となることもあったが、それでも放浪生活の中で共同体を維持して暮らしてきた。伝統的に「世界の外」にあったロマは、ホロコーストという歴史的事実の被害者になることで、突如世界に引き込まれることになる。ホロコーストで多くのロマの命と生活が失われたが、その事実を検証したり、記憶を共有することができないままであった。この「過去を持たないこと」の弊害を、老齢に至ったロマたちは切実に感じるようになる。それは、これまでの生活が根こそぎ失われてしまった後で、多くの次世代のロマがアイデンティティの中心に据える根を持たない様を目の当たりにしたからだった。一八九七年生まれのギガ・ラインハルトは、ロマでも非ロマでもなくなってしまった彼らは、「教養もなく、未来のチャンスもなく、誰かからの承認もなくただ日々をやり過ごしている」、そして、「いつか、この全てが終わる日を待っている」［Schmidt, 82］と語り、その行く末を案じる。

ロマの生活手段の消失に関しては、年を追うごとに厳格になる法整備も要因の一つである。第三節で述べたように、ロマは伝統的に社会の「隙間」や「境界」に居場所を見つけて生きてきたが、規制が厳しくなるにつれて行き場を失ってしまう。例えば英国では一九六〇年代以降、廃品回収や鉄屑の売買などにも詳細な請求書等の書類の作成を義務付けたが、この法律は識字率が低いロマにとって致命的なものとなり、多くの者が失職した。また、多くの政府が行う定住政策は、ロマの一時的な移動すら許さないものだったため、これまで貴重な収入源であった農場での季節労働に就くこともできなくなった。ロマがロマとしてある程度独立した生活を送ることを可能にしてきた職業のほとんどを、政府は規則違反と定めてしまったのだ〔フォンセーカ、三二〇―三二一頁〕。結果としてロマは自立する機会を失い、多くの者はやむを得ず生活保護を受けて暮らしている。ホロコーストによって被った世代間の断絶に加え、これまで生業としてきた職業の多くから排斥されることで、ロマは無為に日々を過ごさざるを得ない状況に身を置くこととなった。

ギガ・ラインハルトやセイヤ・ストイカのように、ホロコーストを体験し、その後ロマを取り巻く状況が急速に変化する様子を目の当たりにしてきた老ロマたちは、「語る」ことで失われたロマのルーツを取り戻そうと願った。だが、第五節の「「自分たち探し」のためのプロジェクト」で述べたように、「ロマをロマたらしめるもの」はこれまで考察の対象となって来なかったし、そもそもロマが自分たちをひとつの歴史を持つ民族として認識するようになってから間もない。事実、ロマ出身の言語学者でありロマ人権運動家であるイアン・ハンコック〔Ian Hancock〕は現状について、一部のロマがようやく伝統的な「ジプシー像」から解放されようという意識を持つに至ったものの、「自分たちは何者か」という問題はロマ自身にとっても非ロマにとっても曖昧なままであると述べている。ロマのアイデンティティの問題に対する姿勢は個人及びグループの生活環境や教養によって大きく隔たっており、民族全体がどのようにこの問題に取り組んでいくかは重要だが困難な課題であるとハンコックは考える〔ハンコック、二七五―二七六頁〕。ロマは初めて「民族の歴史」や「民族としてのアイデンティティ」といった概念を得たわけであるが、彼らは今後様々な苦悩と共にこれらの概念を形作っていくことになる。パプーシャやストイカらがあえてしたような「個人的な体験の語り」は、ロマに過去との新たな向き合い方をもたらした。おそらく、今後こうした記憶を積み重ね、ロマは「ロマとは何か」という問いに取り組んでいくことになるだろう。このプロセスは始まったばかりではあるが、ロマが自らを世界や歴史にどう位置付けるかという定義の主導権を得た、極めて重要な局面であることは疑いない。

参考文献

Hohmann, Joachim S.: *Märchen und Lieder der Roma, Aus dem Nachlaß des Ethnologen Anton Hermann (1851-1926)*. Frankfurt am Main, 1999.

Schmidt, Heinz G.: *Die Zigeuner kommen! Markus Reinhardt entdeckt sein Volk*. Wien, 2007.

Stojka, Ceija: *Wir leben im Verborgenen*. Wien, 2013.

エリクソン、エリク・H、他『老年期――生き生きしたかかわりあい』朝長正徳・朝長梨枝子訳、みすず書房、一九九〇年。

エリクソン、エリク・H『洞察と責任――精神分析の臨床と倫理』鑪幹八郎訳、誠信書房、二〇一六年。

小澤義雄「老年期における世代間継承の認識を伴う自己物語の構造」日本発達心理学会編『発達心理学研究』第二四巻第二号、二〇一三年、一八三―一九二頁。

武井みゆき編『パプーシャ――その詩の世界』武井摩利訳、ムヴィオラ、二〇一五年。

ハンコック、イアン『ジプシー差別の歴史と構造――パーリア・シンドローム』水谷驍訳、彩流社、二〇〇五年。

フォンセーカ、イザベル『立ったまま埋めてくれ――ジプシーの旅と暮らし』くぼたのぞみ訳、青土社、一九九八年。

水谷驍『ジプシー史再考』柘植書房新社、二〇一八年。

あとがき

ゲーテの『ファウスト』第二部第五幕に印象的な場面がある。意気軒昂として干拓事業に勤しむファウストに「四人の灰色の女」が近づき、そのうちの一人「憂い」によって「呪い」をかけられたファウストは盲目となる。彼の指示に従って穴を掘るのは、メフィストが呼びよせた亡者の霊たちである。

亡者の霊たち（おどけた身ぶりで土を掘りながら）
これでも若いときには、命があって、恋もした。
なんだかずいぶん面白かった。
歌と踊りでみんながはしゃげば、
おれの足もせわしく動いた。

ところが意地悪ものの「老い」がやってきて、
杖でしたたかおれを打った。

おれはひょろひょろ墓の方へよろけた、
ちょうどその墓が戸口を開けて待っていた。（ゲーテ『ファウスト――悲劇』、手塚富雄訳、中央公論社、一九七一年、三九九頁）

すでに「亡者」と化した人物は、完全に外からの視点で自身の生涯を振り返り、「若さ」や「老い」といった階梯によりこれを秩序づけることが可能な立場にある。そして、かれらはさもファウストが同類であると言わんばかりに、彼の近未来を暗示する言葉を告げているのである。かたやファウストは、この言葉を意に介することなく、自身のビジョンを語るばかりである。

ファウスト（戸口の柱を手さぐりしながら、宮殿の中から歩み出る）
あの鋤のいそしんでいる音がじつに楽しい。
あれはおれのために働いている大勢の人間だ。
海にさらわれた土を大地に返し、
押しよせる波に境界を定め、
海を堅固な堤防の帯でかこもうとしているのだ。（同書、三九九頁）

この見解には、さらに外からの視点が突きつけられる。ファウストは強力な堤防に守られた「楽園のような土地」を創出する作業に没頭しているが、それとて一介の主観によるものにすぎない、とメフィストが即座に異を唱えるのである。砂のうえに「老いぼれ姿」をさらしたファウストが命じる土地づくりの「掘割り」作業は、そのじつ「墓堀り」作業であり、彼が信じる「永遠の創造」は、創造と破滅を繰り返す「永遠の虚無」にすぎない、と。しかしながら、これまたファウストの耳には入らない。結局のところ、第五幕最終場において、たゆまぬ努力を続けたファウストの魂は天使たちによって救いあげられることになるわけだが、ここまでの亡者の霊、ファウスト、メフィストの立場は、「老い」と「若さ」、「晩年のスタイル」の関係性を象徴的に切り取っている。亡者の霊とメフィストは客観的な「老い」の姿を説き、ファウストは「晩年のスタイル」とも言うべき創作態度を表現していると考えられるからである。前者は、作家の所業を外から評価する批評家の目線であり、後者は、それとは異なる次元で創作活動に没頭する作家の姿勢とも解することができるだろう。

「晩年のスタイル」に着眼する研究は、作家の主観なり、晩年の業績なりに密着し、それを説き明かす、あるいは再評価する（必ずしも「老い」という階梯に囚われない）試みである。他方で、「老い」を対象とする研究は、「若さ」との相対性を旨とし、個人史にとどまらない文化的、社会的な枠組での考察も可能とする。この二つの研究テーマは、作家や芸術家が自身の若かりし頃との比較のうちに「老い」の意識を強く抱いている、あるいは「晩年のスタイル」を語るうえで若年時のそれが不可欠な参照項になっているといった場合にはむろん重なり合うものであるが、必ずしも同一の主題であるとは限らない。むしろ「晩年のスタイル」は「老い」のスタイルであるという暗黙の了解を疑うことや、「老い」を一人の作家の「晩年」から切り離して検討することに研究の醍醐味があるように思われる。本書に収められた執筆者たちの論考に認められる「晩年のスタイル」や「老い」への多様なアプローチのあり方から、以上のことを考えさせられた。

本書は、二〇一五年の日本独文学会秋季研究発表会で行われたシンポジウム「晩年のスタイル」をもとにしている。そこでの発表者（香田、山本、磯崎）に新たな執筆者が加わり、とりわけ「老い」の観点からも興味深い論考が集まることとなった。拙い編者を辛抱強くサポートしてくださった執筆者の方々、また出版から編集まで惜しみなくご協力くださった松籟社の夏目裕介氏には心からの謝意を表したい。本書を手に取ってくださった方々から、ご意見、ご批判を頂ければ、編者にとって望外の喜びである。

二〇二〇年一月　　磯崎康太郎

坂本彩希絵（さかもと　さきえ）

長崎外国語大学外国語学部准教授。主な業績として、「現実の不在から生まれる詩的言語 トーマス・マンの『幻滅』について――ニーチェの言語観との関連から」（日本独文学会『ドイツ文学』第142号、2011年）、"Quietismus" und "Aktivismus". Die sinnstiftende Funktion des gehörten Lauts als Leitmotiv in Thomas Manns Der Zau-berberg." (Japanische Gesellschaft für Germanistik, „Neue Bei-träge zur Germanistik", Bd. 151) などがある。

松田和之（まつだ　かずゆき）

福井大学国際地域学部教授。主な業績として、共著書に *Jean Cocteau et l'Orient*（Édition Non Lieu, 2018）、共訳書に『ジュール・ルナール全集（戯曲、日記）』（臨川書店、1996-1998年）などがある。

野端聡美（のばた　さとみ）

慶應義塾大学、立教大学非常勤講師。主な業績として、訳書（共訳）に『ノヴァーリス』前田富士男・和泉雅人監修『ディルタイ全集　第5巻　詩学・美学篇（第1分冊）』（法政大学出版局、2015年）、独語論文に „Heimat als Ort der Heterogenität in Werken von Joseph Roth", Yuichi Kimura, Thomas Pekar (Hrsg.), *Kulturkontakte. Szenen und Modelle in deutsch-japanischen Kontexten*, transcript Verlag, 2015, S.159-169. などがある。

著者一覧（執筆順）　★は編著者

香田芳樹（こうだ　よしき）★
慶應義塾大学文学部教授。文学博士（広島大学）、Ph. D.（スイス・フライブルク大学）。主な業績として、著書に『マイスター・エックハルト――生涯と著作』（創文社、2011）、『魂深き人びと――西欧中世からの反骨精神』（青灯社、2017）、翻訳書にマクデブルクのメヒティルト『神性の流れる光』（創文社、1999）などがある。

山本賀代（やまもと　かよ）
慶應義塾大学経済学部教授。主な業績として、共訳『シャルロッテ・フォン・シュタイン――ゲーテと親しかった女性』（鳥影社、2006 年）、現在『ドイツ語学・文学』（慶應義塾大学日吉紀要）に「ゲーテ『ヴィルヘルム・マイスターの遍歴時代』初稿（1821 年）――翻訳の試みと覚書」を連載中。

西尾宇広（にしお　たかひろ）
慶應義塾大学商学部准教授。主な業績として、論文に「クライスト『ホンブルク公子』あるいは解釈の力――1800 年頃の法と文学をめぐる一局面」（『ドイツ文学』第 152 号、2016 年）、共著に「女性解放をめざす男性作家たち――「若きドイツ」と一八三五年の二つの小説」（青地伯水編『文学と政治――近現代ドイツの想像力』松籟社、2017 年）などがある。

磯崎康太郎（いそざき　こうたろう）★
福井大学国際地域学部准教授。主な業績として、訳書にアーダルベルト・シュティフター『シュティフター・コレクション 4――書き込みのある樅の木』（松籟社、2008 年）、アライダ・アスマン『記憶のなかの歴史――個人的経験から公的演出へ』（松籟社、2011 年）などがある。

川島隆（かわしま　たかし）
京都大学文学研究科准教授。主な業績として、著書に『カフカの〈中国〉と同時代言説――黄禍・ユダヤ人・男性同盟』（彩流社、2010 年）、訳書（共訳）に多和田葉子編『ポケットマスターピース 01　カフカ』（集英社、2015 年）などがある。

晩年(ばんねん)のスタイル――老(お)いを書(か)く、老(お)いて書(か)く

2020年3月25日初版発行

定価はカバーに
表示しています

編著者　磯崎康太郎
　　　　香田芳樹
発行者　相坂　一

〒612-0801　京都市伏見区深草正覚町1－34
発行所　㈱松　籟　社
SHORAISHA（しょうらいしゃ）

電話　075-531-2878
FAX　075-532-2309
振替　01040-3-13030
URL：http://shoraisha.com

装丁　安藤紫野（こゆるぎデザイン）
印刷・製本　モリモト印刷株式会社

カバーと扉に使用した画像はShutterstock.comの
許可を得ています。

Printed in Japan

ISBN 978-4-87984-385-2　C0098